LA PETITE ROBE NOIRE

suivi de

AU CINÉMA, DE TRÈS BONS LIVRES,
LETTRE DE SUISSE

Née en 1935 à Carjac, dans le Lot, Françoise Sagan grandit à Paris. Après son baccalauréat, elle s'inscrit à la Sorbonne. C'est durant l'été 1953 qu'elle rédige *Bonjour tristesse*. Le roman est publié et connaît un succès fulgurant. Elle a dix-huit ans. Elle fait la connaissance du tout-Paris littéraire et voyage. En 1956, son deuxième roman, *Un certain sourire*, est également un succès. Françoise Sagan commence alors à adopter un style de vie qui fait scandale et contribuera à son mythe : casinos, boîtes de nuit et voitures de sport. Victime, en 1957, d'un grave accident de la route, elle en gardera des séquelles qui la poussent à abuser des médicaments et de l'alcool. Elle a publié une cinquantaine de romans, écrit quelques pièces de théâtre (notamment *Un château en Suède*) et participé à l'écriture de scénarios. En 1985, le prix Prince-Pierre-de-Monaco récompense l'ensemble de son œuvre. Ruinée et gravement malade, elle meurt en septembre 2004.

Paru dans Le Livre de Poche :

BONJOUR NEW YORK *suivi de* MAISONS LOUÉES
LE CHIEN COUCHANT
DES BLEUS À L'ÂME
DES YEUX DE SOIE
LA FEMME FARDÉE
JE NE RENIE RIEN
LE LIT DÉFAIT
THÉATRE (*L'Excès contraire / Un piano dans l'herbe / Il fait beau jour et nuit*)
TOXIQUE
UN MATIN POUR LA VIE *et autres musiques de scène*
UN ORAGE IMMOBILE
UN PEU DE SOLEIL DANS L'EAU FROIDE
UN PROFIL PERDU

FRANÇOISE SAGAN

La Petite Robe noire

suivi de

Au cinéma, De très bons livres, Lettre de Suisse

L'HERNE

ISBN : 978-2-253-08457-0 – 1re publication LGF

LA PETITE ROBE NOIRE

Les articles publiés dans *La Petite Robe noire* proviennent des journaux suivants : *Vogue*, *Elle*, *Femmes*, *Égoïste*, *Le Nouvel Observateur*.

LE POINT DE VUE
DE FRANÇOISE SAGAN

Je l'avoue, c'est d'un froid serein que j'ai accepté cette tâche écrasante : composer le numéro de *Vogue* Noël 1969. Pour quatre raisons :

a) la mode m'amuse,

b) les possibilités artistiques et techniques de *Vogue* sont énormes,

c) j'adore prendre l'air décidé et débrouillard (n'étant ni l'une ni l'autre),

d) ça paie mon tapissier.

De plus, il y a deux points que je voudrais rappeler à nos fidèles lectrices (et ceci parce qu'au cours de nombreux dîners, j'ai vu aussi bien des femmes belles déguisées en abat-jour que des femmes insignifiantes brusquement stylisées par leurs robes) :

On ne s'habille pas pour éblouir les autres femmes ou pour les embêter. On s'habille pour se déshabiller. Une robe n'a de sens que si un homme a envie de vous l'enlever. Je dis bien l'enlever pas l'arracher en hurlant d'horreur…

C'est pourquoi j'ai fait appel à six hommes pour ce numéro.

Un homme ne vous aime pas pour une robe. Il vous aime pour un rendez-vous manqué, un mot, un regard… Seulement, un jour, il vous réclamera aigrement « cette robe bleue, tu sais... » (aux orties depuis deux ans) qu'il n'avait pas semblé voir. Les hommes se « souviennent » des robes. Mais leur mémoire est sélective. Évitez donc les barboteuses. Celles-là, ils les « voient » d'abord... Et s'en souviennent ensuite.

Ce petit cours de morale fini, je souhaite que vous vous distrayiez autant à lire ce numéro que nous nous sommes diverties à le faire, les dames de *Vogue* et moi. Bon Noël à vous. Et si vous souhaitez un bon Noël à d'autres, il y a plein de cadeaux page 116.

ZELDA FITZGERALD

Jacques Delahaye va ouvrir, début octobre, sa propre boutique rue Saint-Sulpice, tout en glaces et laques bleu marine. Il y vendra enfin ses propres modèles sous son propre nom, après les avoir créés depuis des années pour les maisons Dejac, McDouglas et Anne-Marie. D'immenses jambes dans des pantalons de toile écrue rustique, une courte barbe blonde en pointe sur un blouson et un mouchoir rouge en soie noué dans l'échancrure, Jacques Delahaye, l'œil rêveur, a le talent de savoir faire naître aussi bien des manteaux confortables et classiques (il y en a un célèbre, daté de 1960, que l'on refait toujours) que de merveilleuses robes très féminines. Lisez ci-dessous ce qu'elles évoquent pour l'une de ses meilleures amies.

Vers 1925, et vers sept heures du matin, une bouteille de Dom Pérignon calée entre eux deux dans leur fiacre, Scott Fitzgerald, l'un des meilleurs écrivains américains de son époque et sa femme, la belle Zelda, rentraient au Ritz. Erreur, d'ailleurs, car elle n'aimait pas vraiment, je crois, ni les grands hôtels, ni les grands crus, ni même les grandes amours. Néanmoins, dans cette aube fragile, ils étaient tous les deux évidemment jeunes, riches, beaux et gais.

Elle, elle mourut folle, brûlée vive, dans un asile psychiatrique. Et lui, désespéré et alcoolique, dans un autre asile plus connu : Hollywood. Zelda n'eût pas aimé non plus, je le crains, les grands couturiers. Ce n'était pas une femme à essayages. Elle piaffa toute sa vie et elle eût piaffé encore plus dans ces salons. Mais elle eût aimé la dernière collection de Jacques Delahaye. Mi-en toile pour cette Côte d'Azur qu'ils avaient découverte eux-mêmes ou mi-vampe pour afficher sa folie naissante, son profil et ses jambes. Oui, elle eût été comblée. On ne rêve plus de strass, ni d'or, ni de bonne coupe actuellement : on rêve de rêver ou de faire rêver, ce qui est pareil.

Et la collection de Delahaye est créée pour ça. Selon le jour, la nuit, l'heure, vous serez ou bien en noir, étique, accoudée à un bar étranger, ou dans un rayé croisé à la fenêtre d'un train, ou debout, en beige, contre une mer également beige. Mais *toujours romanesque*... pas jusqu'au point de Zelda, j'espère, mais si vous voyez ce que je veux dire, avec ce flou, ce balancement, ce charme bizarre qui fera que les hommes auront pour vous des yeux également bizarres. Des yeux dilatés de plaisir anticipé, de gaieté folle et d'une légère angoisse. Que demander de plus, un prêt-à-porter tout de suite, un prêt-à-brûler plus tard, un prêt-à-se faire aimer toute sa vie ? À commencer par Jacques Delahaye.

YVES SAINT LAURENT

À 17 ans avec une histoire de tristesse et d'amour libre Françoise Sagan choquait et fascinait sa génération. À 25 ans, en quelques robes et trois écharpes Yves Saint Laurent séduisait ses contemporains. Et, parce qu'ils étaient trop en avance pour se brûler les ailes au temps qui passe, ces deux-là ont bien grandi chacun de leur côté. Ils se sont retrouvés pour nous, 20 ans plus tard.

Je le connais depuis vingt ans, ce grand jeune homme blond, et je ne le connais pas du tout. Mais je le connais bien aussi, c'est-à-dire que lorsque nous nous rencontrons dans certaines mondanités, je le vois lever les yeux au ciel *(in facto)* ou éclater de rire *(in petto)* au même instant que moi. En attendant, nous ne nous étions jamais parlé depuis quinze ans – jusqu'à avant-hier, à la faveur de cette interview. Nous ne nous parlions pas, mais de temps en temps néanmoins, nous faisions bloc – si on peut parler de bloc au sujet de deux personnes aussi maigrichonnes. Et au cours d'une soirée, nous annoncions triomphalement à nos amis, à nos relations réunies, que nous en avions assez de travailler comme des chiens depuis vingt-cinq ans, lui et moi, et que lui et moi avons respectivement quarante-quatre et quarante-cinq ans, que depuis des années, donc, nous portons sur nos épaules des charges et des responsabilités terrifiantes, incompatibles avec notre idée de la vie et notre caractère, et que nous allons partir ensemble la semaine prochaine dormir sous des huttes au soleil, dont nous ne reviendrons pas. Bien qu'il ne soit ni drôle, ni inquiétant, ce discours fait rire ou inquiète. En y réfléchissant, il n'est pas drôle puisque au fond, c'est la vérité vraie, et il n'est pas inquiétant parce que ni Yves Saint Laurent, ni moi-même, ne fuira jamais ces contrepoids que le destin prudent a suspendus à notre cou en même temps que ce somptueux cadeau qu'est la possibilité de créer, et la possibilité aussi que nos œuvres séduisent nos contemporains.

C'est ce sens obscur du devoir que nous nous sommes avoué dans l'après-midi de ce dimanche-là, ce dimanche pluvieux où nous étions assis, seuls pour la première fois dans la superbe maison d'Yves Saint Laurent et de Pierre Bergé où chaque détail est une œuvre d'art, et où Yves Saint Laurent me recevait, vêtu d'un complet et d'une cravate sombres, « la seule chose à me mettre, me dit-il, passé quarante ans ».

Nous nous assîmes donc, un peu encombrés de nous-mêmes, la gêne incluse à l'envie de rire, et, me disais-je, oublions Yves et pensons à Saint Laurent. Et n'oublions pas que c'est un jeune homme de quarante ans sans doute, mais que ce jeune homme dirige un empire. Il a créé cet empire lui-même. Son nom est dans une rue de chaque capitale des États-Unis, d'Europe, d'Australie, que sais-je, où il est considéré comme le couturier, le modéliste le plus célèbre et le plus doué de sa génération. Et même à Paris, où son nom s'étale dans plusieurs rues à présent, il n'a jamais été possible, même aux plus méchants de ce monde aiguisé et cruel de la couture, de nier le talent de Saint Laurent. Chaque année bien sûr, le mois d'avant, on commence à dire que c'est moins bien, qu'il est fini, qu'il dégringole, qu'il brûle sa vie et ses crayons en même temps ; chaque année on le croit mort pour ses amis et mort pour la couture, et chaque année on sort de sa première collection hébétés et confondus, et quand on est de bonne foi, ravi.

Ce tour de force, ce retournement de sentiment effectué en deux heures, il est obligé de le refaire quatre fois par an : deux fois pour ce prêt-à-porter d'abord, qu'il a été le premier réellement à formuler et à installer dans les mœurs – deux collections donc par an – et deux fois aussi pour la haute couture qui l'a mené au succès et aussi au summum redoutable des œuvres d'art, cette haute couture où il peut jouer et faire jouer ses mains dans les tissus les plus extravagants, les plus ruineux, les plus beaux de la terre. « C'est mon luxe », dit-il. Il n'aimerait pas s'en passer. Mais s'il lui fallait choisir à présent entre une éternelle collection hors de prix et somptueuse, et un éternel prêt-à-porter, il y a tout à parier qu'Yves Saint Laurent, sans barguigner, choisirait le prêt-à-porter. Parce qu'il est de son temps d'abord, et puis parce que ses modèles hors de prix il ne les voit jamais dans la rue. Il ne les rencontre que dans des galas, des soirées et des dîners privés.

La rue Spontini, c'est le passé d'Yves Saint Laurent. C'est là où il a connu la pire émotion, il y a vingt ans, alors qu'il venait de quitter Dior et qu'il se lançait de lui-même – tout reposant sur lui – dans sa propre maison : là, il le savait, ce coup d'essai devrait être un coup de maître, faute de quoi il serait le premier et le dernier. Tout le monde vint croquer l'imprudent, et tout le monde en ressortit ébloui. Depuis, Saint Laurent n'a fait que deux « flops » : le principal fut celui de l'année 71 où il relança la mode 1940 et où l'on revit toutes les femmes avec des sacs en bandoulière, des jupes courtes et des semelles compensées. Ce jour-là, donc, de nombreuses femmes comme il faut quittèrent le salon dès le début de la présentation. « Elles ne voulaient pas, disaient-elles, côtoyer des putains. » Mais les autres femmes, les inspirées, les femmes du monde comme on dit, celles qui ont pour elles un goût de découvrir, d'applaudir, un goût du changement qui en font des mécènes pour les couturiers – quoique parfois d'avares mécènes –, vinrent et décidèrent, elles, que c'était sublime, et tout le monde suivit. Mais Yves Saint Laurent avait eu peur.

Il avait eu peur parce que chaque échec peut lui être fatal, parce que quatre ou cinq échecs à la file voudraient dire la catastrophe, c'est-à-dire l'impossibilité de créer la haute couture avec les moyens énormes que cela comporte.

Surtout cela voudrait dire qu'il ne ressent plus quand il travaille cette intuition, ce sentiment de ce que désirent profondément les femmes, ici ou ailleurs, le sentiment qu'il découvre chaque jour dans Paris et dans sa tête, et qui finit par coïncider avec son propre goût, ce sentiment qui le fait s'inspirer d'une actualité épuisante mais fructueuse, le perpétuel renouvellement, les coups de théâtre et les perpétuels chocs de la vie courante.

D'une année à l'autre, il le sait, les femmes peuvent être, ou se vouloir adolescentes, mûres, tristes, retenues, tragiques, comme elles peuvent se vouloir gaies, farceuses, équivoques. Et si elles voulaient être finalement ce que Saint Laurent veut qu'elles soient, c'est qu'elles savent, aussi, que sous ces trouvailles et sous cette nouveauté, il y a cette force d'airain, péremptoire et indispensable, ce talent intrinsèque, ce bon goût, cette imagination, cette sûreté, cette élégance, bref, ce jeune blond qui ne se lancera dans ses imaginaires et ses extravagances qu'avec l'accord et la technique de son métier.

Yves Saint Laurent parle de sa dernière collection, et il en parle avec le rire du soulagement :

« Ça a été affreux, comme d'habitude, pendant les premiers mois. Rien ne venait, rien ne ressemblait à rien. Je pouvais draper mes tissus n'importe comment sur le beau corps des mannequins, et ces filles superbes n'avaient l'air de rien, de rien d'intéressant en tout cas. Je devenais fou... Je faisais du Saint Laurent tiède, sans charme. J'avais un mois et demi, comme d'habitude, pour tout faire, et au bout d'un mois : rien. Et puis un jour, par hasard en me reculant, j'ai vu que ça y était : la robe voulait dire quelque chose, elle ressemblait à quelque chose, et notamment à la femme qui la portait. Je l'ai senti tout de suite, et le mannequin aussi. On n'imagine pas les rapports personnels et tacites qui se passent entre un couturier et un mannequin. Elles sentent quand l'imagination travaille, elles éprouvent de l'orgueil à ce que leur corps, leurs gestes, leurs apparences provoquent chez moi cette intuition créatrice. Elles en sont fières et ravies ; plus qu'avec personne d'autre, quand je travaille, j'ai des rapports directs avec ces femmes, souvent épuisées d'ailleurs, mais qui dans ces moments-là feraient n'importe quoi pour m'aider.

Ce métier est passionnel : en dehors de moi, qui ne vit plus quand ça ne marche pas, et qui n'est jamais vraiment content de rien jusqu'à la première, il y a aussi les couturières, celles qui travaillent à la main d'abord, et qui sont les tenantes et les dernières dépositaires des secrets de la grande couture (secrets transmis par leurs mères, leurs grands-mères, etc.). En dehors de celles-ci, dont la race s'éteint, qui n'auront plus de raison d'être dans la société future, il y a les femmes qui travaillent à la machine, des jours, des nuits, à qui je fais parfois tout démolir, mais à qui je ne fais jamais l'offense de les faire travailler sans y croire moi-même ; elles le sentiraient, elles me mépriseraient. De toutes ces équipes, dans tous les domaines de ma maison, quand vient l'instant du travail créatif, l'instant où je me sens seul, debout dans l'atelier, et donnant ordre sur ordre, travail sur travail, ne sachant pas moi-même si cette agitation, cette frénésie déclenchée, me mènera où je voudrais qu'elle me mène, cet instant où tout le monde a besoin de moi, me regarde, voudrait m'arracher les consignes et les élans de la bouche, à cet instant-là, je me sens responsable de tout le monde. Ça a été dur, certaines années. Je ne trouvais le thème, l'idée que dix jours avant, et pendant dix jours, tout le monde devenait fou. Et j'arrivais, épuisé, devant tous ces regards de femmes, souvent amicales, mais d'autant plus sévères. Pendant tous ces débuts de mois correspondant aux quatre collections, je ne m'appartiens plus d'abord à moi-même. Je me sens prisonnier, vide. Et puis un jour tout tourne, et alors je suis le plus heureux de tous les couturiers. Je regarde devant moi s'agiter ce type qui travaille, qui a des idées, des intuitions, qui n'est qu'un aspect de moi mais dont les exploits parfois me sidèrent. Hélas si je ne fais qu'un avec moi-même quand ça ne marche pas, nous sommes toujours deux quand ça marche. »

Cette dernière phrase sonnait affreusement juste en ce dimanche de pluie et de paresse, et nous échangeâmes un regard accablé. Je revins au galop vers des rivages plus riants, et plus sots :

– Qu'est-ce qui déclenche une robe ?

Et Saint Laurent, sur un ton d'évidence :

« Un geste. Toutes mes robes viennent d'un geste. Une robe qui ne reflète ou ne fait pas penser à un geste n'est pas bonne. Une fois qu'on a trouvé ce geste en question, après, on peut choisir la couleur, la forme définitive, les tissus, pas avant. En réalité on n'arrête pas d'apprendre son métier dans ce métier. Figure-toi par exemple, il y a la couture droit fil et la couture de biais. J'ai fait tous mes modèles droit fil pendant des années parce que cela correspondait à mes idées. Et je connaissais le biais, bien sûr, et je l'utilisais mal, un peu comme un compositeur qui ignorerait les dièses, mais je ne «voyais» pas en biais. Et puis une femme, qui est venue à la maison il y a trois ans, m'a tout appris sur le biais, m'a appris quels étaient les ressources, les dérivés de la couture en biais. La première année c'était l'année, tu sais où toutes mes robes sont devenues folkloriques, gonflées, russes, etc. Les journalistes ont parlé de l'influence russe, du goût de l'exotisme, du baroque, etc. En fait, j'avais simplement appris la pratique du biais. C'était moins loin que la Russie mais beaucoup plus difficile. Et je sais que je n'en aurai jamais fini avec tous les artifices de ce métier soi-disant artificiel.

Une chose que je ne saurai jamais maîtriser dans la couture c'est, d'une part mon imagination, ma faculté d'inventer qui sera toujours indépendante de ma volonté, qui me fait toujours croire jusqu'au dernier moment que je l'ai perdue ; ça je le sais. Ce que je ne pourrai pas changer non plus, pas plus que la peur au début, c'est la tristesse, le vide à la fin – j'imagine que ça fait le même effet quand on écrit des livres –, mais quand tout est fini, la dernière épingle mise, on se sent orphelin. Toutes vos idées sont passées et fichues ; elles vont disparaître comme celles d'avant, comme celles d'après. Il ne restera rien de tous ces efforts, de toutes ces nuits blanches... Ça c'est cruel. Donner le jour à des choses qu'on ne reverra plus et dont l'essence même est de disparaître. La mode est ce qui se démode...

Je pressens confusément ce que seraient pour moi les critères d'une nouvelle mode, ce que je voudrais faire et que je ne peux pas faire, car cela correspondrait à tout plaquer ici et à tout recommencer ailleurs. Je pressens cette espèce d'immense porte sur le prêt-à-porter qui fera la mode future, et qui pourrait en faire une chose étonnante, radicalement différente et gigantesque.

Je ne sais pas encore comment, mais je sais, je pressens, que dans cette passion, cette uniformité des gens jeunes à s'habiller tous pareils, il y a là une idée, quelque chose que je finirai par trouver, si ce n'est à faire. En tout cas ce qui est resté et qui restera identique au fil des jours, maintenant jusqu'à la fin des temps, ce sera cette espèce de dérivation des vêtements d'hommes en vêtements de femmes. Il y a maintenant une mode des femmes qui vient droit de la mode des hommes et qui est un besoin d'être confortable, ou d'être proche des hommes, se servir de leurs vêtements et de leurs goûts sans pour cela vouloir ni les doubler, ni les copier, ni les déviriliser, simplement pour les rejoindre. Les hommes s'habillent plus confortablement que les femmes parce qu'ils n'ont pas à remplir ce rôle d'objet qui a si souvent paralysé les femmes des autres générations. Il y a un souci d'égalité et non pas de revanche dans tous ces chandails trop larges, ces chemisiers noués à la taille, tous ces emprunts que font les femmes aux hommes et qui leur vont généralement si bien. Ça, ce sera stable. Le confort est devenu à présent une valeur aussi déterminante que l'esthétique ; et ce n'est pas mal pour un – couturier d'avoir à y répondre : ça évite des erreurs ou des phantasmes inaccessibles aux gens qui vivent et qui travaillent.

Cela dit, la mode est devenue depuis peu un spectacle complet. Ça se passe sur des estrades, avec des musiciens, des décors, des artifices, qui sont là avant tout pour épater, faire de l'effet beaucoup plus qu'autre chose. Ce n'est plus de la couture, c'est du spectacle. Les relations des couturiers entre eux, ou des couturiers et des critiques, ou des clients et des couturiers sont passionnelles, théâtrales. Mais il en découle que souvent le spectacle peut être parfait et la robe importable. Il en découle aussi que des noms sont lâchés tous les ans comme des montgolfières, et l'année d'après, les montgolfières ont disparu déjà remplacées par d'autres. »

« Cela dit... (Yves Saint Laurent s'étire tout à coup comme un chat et ses yeux brillent comme ceux d'un enfant excité) cela dit, le théâtre, j'aurais adoré ça ! Mais j'aime aussi, j'adore même *Senso*, les films italiens, les velours rouges, les bijoux sombres, et les fastes, les luxes percutants du XIXe siècle de Fellini ou de Visconti, de l'opéra quoi... J'ai une passion pour l'opéra. J'aurais adoré faire des décors, des costumes, vivre sur les planches avec des gens du spectacle, certains en tout cas. Mais je ne peux pas, je ne peux plus maintenant : cela correspondrait à lâcher tout ce que j'ai fait, à mettre sur le trottoir cinq cents personnes que j'estime, que j'aime beaucoup et qui me le rendent bien. Eh non, c'est impossible que je fasse les deux... », me répond-il, ma question même pas posée. « J'ai à peine le temps de dormir un mois entre deux collections... Et moi qui suis si paresseux... », dit-il en s'étirant tout à fait au bord du canapé, ce canapé où il ne s'allongerait pas devant moi parce qu'il est trop bien élevé et que ce n'est pas un homme qui se relâche en public, même si par moments il a pu donner, à force de charme et de folie, l'impression de s'abandonner. Car en plus du talent, Yves Saint Laurent a un charme physique très réel, très raffiné aussi, parce qu'il n'en semble pas conscient, qu'il est timide (et que ce charme en est à la fois caché et redoublé). Il est toujours un jeune homme de quarante ans, ou plus, le même qu'il y a vingt ans, me semble-t-il, sur une pelouse de Normandie, avec ses grands bras, ses grandes jambes, ses phrases elliptiques, drôles, et son envie de rire cachée sous ses cheveux plaqués. Je savais de lui, déjà avant ce dimanche qu'il était volontaire, timide, secret et bourré de talent. J'ai donc appris en plus qu'il était lucide, passionné, intransigeant et généreux. Ce ne sont pas de minces découvertes à faire toutes ensemble d'un seul coup, en deux heures, un dimanche après-midi... Mais elles sont bien réjouissantes, rassurantes, tout autant que rarissimes.

BETTINA, L'ÉMINENCE ROUSSE

Il y a un côté racinien, généralement, chez les couturiers français de Paris. Ils sont toujours, telle Phèdre, suivis d'une Œnone. Celle-ci est une dame d'un âge certain, d'une humeur incertaine, et leur tient lieu à la fois de comptable, de CIA, de porte-voix, de nurse et d'ennemie intime. Ce sont les éminences grises de ces doués, mais généralement fragiles, personnages. Et ce sont aussi des fanatiques, parfois jusqu'au ridicule, de leur grande prêtresse : la Mode. Oubliant que selon le mot de Cocteau « La mode, c'est ce qui se démode », elles font de chaque collection, de chaque saison, une tragédie dont elles ne voient plus le comique. C'est pourquoi, lorsque mon amie *Bettina Graziani*, qui fut, avec Sophie Litvak, *le mannequin le plus célèbre* du monde, puis la femme amoureuse et aimée d'Ali Khan, puis tout bonnement une femme gaie et élégante, m'annonça sa décision de rejoindre cette sombre cohorte, je fus épouvantée pour elle. Elle me donna des raisons raisonnables qui me convainquirent sans me rassurer. Qu'est-ce que Bettina que je connais depuis vingt ans, qui aime la vie, les hommes et le grand air, allait faire dans ces sombres lieux capitonnés de taffetas et de snobismes ? Elle allait devenir triste ou désabusée, bref, le contraire de ce qu'elle était. Il y a un an maintenant qu'elle s'occupe de la maison d'Emanuel Ungaro, et loin d'être devenue une éminence grise, elle en est devenue l'éminence rousse, toujours joyeuse. Il faut au passage en rendre grâce à Emanuel Ungaro qui a, entre autres talents, celui de ne pas confondre la gravité et le sérieux.

Il est difficile de décrire une amie, surtout si cette amie est d'ores et déjà connue. Disons que Bettina a une santé de fer, un charme fou, des taches de rousseur l'été – enfin, plus visibles, l'été – et des fous rires toute l'année. Elle vit depuis vingt ans dans ce milieu cannibale nommé « Jet Society », qui s'appelait autrefois le « Demi-Monde » – et elle y reste libre, ce qui est à mon sens un tour de force. En effet, pour faire partie de cette « Jet Society », il suffit d'avoir beaucoup d'argent et de savoir relativement tenir ses couverts à table; alors que le « Demi-Monde » exigeait aussi la beauté ou l'esprit, ou la prodigalité. Comme tous les groupes ignorants des valeurs vivantes, ils ont adopté des tabous, des règlements des plus sévères, et auxquels Bettina a toujours refusé de se plier.

Car, si elle n'est pas soucieuse des « convenances », Bettina est soucieuse du « convenable ». Je veux dire par là que les hommes qu'elle aime et qu'elle accepte dans sa vie, deviennent tout aussitôt inattaquables. Il n'est pas question pour elle de bavarder avec ses meilleures amies de la virilité ou du comportement de son amant; il n'est pas question non plus de le remettre en question une seconde, ni même parfois de le laisser à la maison, pour participer seule à un dîner dit réservé. Un homme n'est pour elle ni un jouet, ni une justification, ni un fournisseur : il est un compagnon, et ce compagnon, elle l'aura choisi indépendamment de sa fortune, de sa condition sociale, ou de l'approbation de son cercle. Ce n'est ni le passé ni l'avenir qu'elle voit chez lui, mais le présent, et un présent confiant, tendre et gai, qui exclut définitivement toute confidence à l'extérieur – que ce soit à ses curieuses amies ou à ces nouveaux psychiatres que sont devenus les coiffeurs. De même, une fois cet amour fini, Bettina n'y ajoute nul commentaire. Elle oublie. Elle oublie, ou alors elle devient une amie fidèle. Et en cela, c'est triste à dire, elle sort complètement de la norme. C'est d'ailleurs pourquoi on la dit facilement amorale, cette dernière étant représentée, comme d'habitude, par les us et coutumes des juges eux-mêmes.

Je ne parlerai pas de Bettina en tant qu'amie. Elle est la mienne depuis vingt ans, et depuis vingt ans, nous observons affectueusement nos frasques mutuelles sans jamais en parler beaucoup. Il me paraît suffisant de dire qu'à nos âges respectables, sinon respectés, nous ne nous souhaitons et nous ne nous conseillons mutuellement que la passion et l'imprudence. Et cela prouve une solide estime.

D'un point de vue plus léger, nous avons trois points communs : un chien, une frange et le fou rire facile (le second servant généralement à dissimuler le troisième). Je ne pourrais compter le nombre de dîners épouvantables où nous avons, d'un commun accord, disparu derrière nos franges ou nos serviettes, rouges de honte et de bonheur. Il faut dire que certains dîners parisiens offrent des prétextes irrésistibles à l'hilarité, encore faut-il être deux, comme en classe, pour arriver au fou rire. Et Bettina est en cela une parfaite mauvaise écolière. Elle entend, lève des sourcils étonnés dans un visage impassible, et flanche... Au demeurant, la méchanceté n'est pas son fort, loin de là, et il entre toujours une part d'incompréhension attendrie dans les récits qu'elle peut faire. Des récits, et non pas des ragots. Elle peut rire d'elle-même aussi, avec le même entrain. Je me rappelle cette sinistre époque, d'il y a dix ans environ, où, menées par un couturier sadique dont je ne me rappelle plus le nom, mes amies élégantes s'étaient transformées en abat-jour. Un triangle laissait émerger leur cou; et un second triangle, leurs mollets. Je restais épouvantée mais muette, lorsqu'un soir au Jimmy's, je vis arriver Bettina qui, sans doute distraite ou sur le point de rompre, avait adopté la même tenue de luminaire. À elle je pus dire mon indignation, et quand elle revint du miroir des vestiaires où je l'avais envoyée, loin de me jeter sa vodka à la tête, elle me remercia les larmes aux yeux, larmes de rire bien entendu.

Bettina qui, selon les circonstances, passe ses vacances sur le yacht d'un producteur ou sur une barque de pêche, Bettina qui joue avec des enfants inadaptés ou des gens du monde, Bettina qui trouve l'argent utile mais pas primordial, Bettina qui aime autant l'imprévu que ses habitudes, Bettina est un roc, dans le sens solide du terme – et non pas le dur. Elle a été aimée, elle a aimé, elle aimera et sera aimée, et elle rira toujours derrière sa frange. Dans le travail le plus astreignant comme dans l'oisiveté la plus complète, elle promènera ses taches de rousseur, ses fous rires et ses yeux plissés.

Il n'est pas commode de faire le portrait de quelqu'un pour qui on a de l'amitié et qui offre si peu de prise à l'ironie. Ce n'est pas commode mais c'est bien agréable, et ça change de l'habituel. Et puis il est devenu rare et délicieux de parler d'un personnage, qui est aussi une personne.

SAGAN ET LA MODE

Françoise Sagan mannequin, une première ! C'est Femme *qu'elle a choisi pour poser dans les vêtements qu'elle préfère, signés Peggy Roche. L'écrivain raconte à Jean-Claude Lamy comment elle a vécu la mode depuis son enfance.*

J'avais cinq à six ans. Ma mère m'avait acheté un chapeau. J'ai voulu le mettre pour aller me promener au Parc de la Tête-d'Or à Lyon où nous avions un appartement pendant la guerre. « Tu sais, il va pleuvoir, prends plutôt ton vieux chapeau », me dit-elle. « Non, non, je veux le neuf. » En rentrant, je me suis regardée par hasard dans une glace. À ma grande stupeur, j'ai vu que sans me prévenir, on m'avait mis le vieux chapeau. Ça a provoqué en moi des abîmes de méfiance vis-à-vis des adultes. On m'avait trompée et de plus, croyant avoir le chapeau neuf sur la tête, j'avais fait la maligne pour des prunes.

Petite fille, une autre histoire m'a marquée. J'avais des tresses et des chaussettes qui montaient jusqu'aux genoux. Or dans ma classe, certaines camarades portaient les cheveux courts et bouclés. Comme j'étais leur risée, un jour, je suis revenue à la maison en disant qu'il fallait me couper les cheveux. J'ai tellement tanné ma mère que le lendemain elle m'emmenait chez le coiffeur. Ceci pour vous montrer combien à cet âge-là j'étais coquette.

Étant la dernière, on me faisait des vêtements sur mesure dans les boutiques spécialisées. Devenue adolescente, j'ai fait moins attention à mes tenues. Je ressemblais aux filles de l'époque. On s'habillait de bric et de broc. Je me souviens d'une jupe noire, un peu trop longue, fendue sur le côté. Après le succès de *Bonjour tristesse*, j'ai acheté un manteau de panthère. L'idée m'est venue au cinéma en voyant une publicité. J'ai entraîné ma mère chez Max Leroi, un fourreur de l'avenue Matignon. Sur place, je l'ai pratiquement obligée à prendre un manteau de vison. Au fil des années, ma panthère s'est transformée. On a d'abord remplacé les manches par du drap noir. C'était très joli. Puis j'ai fait enlever le bas. Finalement, avec ce qui restait, on a confectionné une toque que j'ai donnée à quelqu'un.

Lors de mon premier voyage aux États-Unis, au printemps 1955, des couturiers m'ont prêté des tas de robes. Je les ai mises le moins possible car j'évitais les soirées autant que je pouvais. C'est en épousant Guy Schoeller, un homme élégant, que j'ai commencé à faire vraiment attention à mes tenues. Je suis allée chez Guy Laroche. Sophie Litvak, la femme du metteur en scène Anatole Litvak, me donnait des conseils. Mais elle me voyait plutôt en dame. Ça ne m'allait pas très bien. Il y avait une essayeuse exquise chez Laroche. « Attention Mme Litvak arrive », me prévenait-elle. Alors nous nous cachions pour que je puisse choisir mes affaires tranquillement. Si Sophie tenait absolument à un truc, je le prenais et puis je le mettais dans un placard. Je suis allée également une fois chez Chanel. C'est Hélène Lazareff qui m'y avait envoyée [...]. J'ai eu d'autres relations avec des gens de la haute couture. Yves Saint Laurent, accompagné de Pierre Bergé, m'a souvent rendu visite en Normandie. Il se mettait au vert dans ma maison d'Equemauville pour réfléchir à ses futurs modèles. Jean-Louis Scherrer et Guy Laroche venaient également s'y installer quinze jours pour préparer les collections.

On dit qu'une femme s'habille pour son entourage, les hommes, les copines. En fait, c'est pour soi qu'on s'habille. De manière à se trouver bien et prendre une attitude de conquête qui vous donne, effectivement, l'impression d'être en forme. Mais il y a des jours où l'on se sent mal et quoi qu'on puisse se mettre, on s'habille d'une manière tout à fait gâchée. Il vaut mieux choisir un vieux chandail, une vieille jupe. Avec ces vieux complices, on sait qu'on passera plus ou moins inaperçu, mais ce sera confortable.

Aujourd'hui, pratiquement tout ce que je sais en matière de mode et de beauté, c'est Peggy Roche qui me l'a appris. Elle a un sens inouï de l'élégance et du chic. Je m'habille uniquement chez elle. Mes couleurs préférées : le noir, le rouge, le bleu, le beige. J'aime aussi les couleurs un peu cassées. Pour les parfums, j'ai une préférence pour Chanel : notamment Bois des îles et le N° 5 en eau de toilette. Il y a eu une période où je me faisais des masques tous les soirs avant de sortir. J'adorais ça. Quand on l'enlève on se croit rajeunie, l'air complètement pimpante. Je n'attachais pas d'importance à ces choses lorsque je menais ma vie de patachon. Je me maquillais le matin gaiement pour repartir dans la vie et je me démaquillais quand j'avais le temps. Maintenant, je fais très attention à mon apparence même si je reste à la maison.

Propos recueillis par Jean-Claude Lamy.

HELMUT NEWTON, PEGGY ROCHE
DEUX FOUS AMOUREUX DE LA MODE

1960 et quelque... Helmut Newton, déjà grand photographe de mode, mince, brun, grand, entre dans les bureaux de *Elle*, après s'être disputé avec *Vogue*. Il tombe sur Peggy Roche, un peu plus tôt mannequin chez *Elle*, à présent rédactrice de mode pour Hélène Lazareff. Elle est grande, mince et brune. Elle a des gestes, un caractère, une dégaine. Elle porte un chandail noir, une jupe fendue, elle ressemble à la Française de cinéma dont a toujours rêvé Newton.

1980 et quelque (il y a un mois en fait)... Helmut Newton, à présent un peu lassé de la mode, est devenu l'un des plus grands photographes du monde. Toujours grand, mince et brun, il passe devant l'immeuble de *Femme* et tombe sur Peggy Roche, un peu plus tôt rédactrice de mode et à présent styliste. Elle est toujours grande, mince et brune, elle a toujours sa dégaine, son caractère et ses gestes, mais elle porte un chandail et une jupe (non fendue) qui viennent de sa propre collection. Elle ressemble toujours à la Française de cinéma dont rêvait Newton et en plus, sa mode le séduit. Il décide de la photographier, mais exige que ce soit sur Peggy elle-même qui, dit-il, « connaît ces gestes qu'un mannequin ne connaît pas à dix-huit ans – et bien des femmes hélas, jamais ». Et ils passent l'après-midi ensemble. À faire des photos. Les plus modernes et les plus *Femme* qui soient.

Puis ils se séparent. Le soleil rassemble derrière eux les ombres longues, parallèles, de deux fous amoureux de la mode ; de ceux que l'élégance rapproche et que le temps ne sépare pas.

LE NOUVEAU STYLE D'ADJANI

Modernité, liberté, bien-être. Une révélation pour Isabelle Adjani. C'est Peggy Roche qui lui a fait découvrir ces règles d'or de l'élégance. Adjani pose. Sagan parle. Trois femmes d'exception pour un scénario inédit que Femme *a mis en scène.*

Adjani s'habille… où elle veut (c'est-à-dire en 86, chez Peggy Roche). Adjani ne fait que ce qu'elle veut, et de cela beaucoup lui en veulent. Elle a, parmi les proches et les lointains, la réputation d'une jeune personne un peu difficile, ce dont je la félicite, car être une personne difficile vis-à-vis de la presse, cela veut dire avoir une vie privée qui reste « privée », et vis-à-vis de ses relations, cela veut dire n'être pas influençable ni ivre de vanité. Or Adjani pourrait l'être.

Elle est la seule comédienne dont on supprime automatiquement le prénom dans la presse ou dans le public, comme honneur suprême qu'elle partage avec Garbo, la Magnani, Moreau, alors que même Dietrich et même Taylor ne peuvent se passer de Marlène ou d'Élisabeth (on me dira qu'il y a Bardot, mais cela se fit contre son gré et finit en B.B.).

Bref, très jeune, elle vit sous son patronyme, privilège jusque-là réservé aux mâles. Cela parce qu'elle est une grande, une très grande comédienne, et qu'elle est faite pour jouer la comédie comme certains hommes pour tuer, certaines femmes pour attendre, certains joueurs pour perdre, et certains hommes d'affaires pour réussir. Cela parce que sa nature a entraîné sa carrière, et que, contrairement à ce que dit Sartre, et, si l'on me passe cette phrase pompeuse : « son essence a précédé son existence ».

Elle s'habille chez Peggy Roche pour plusieurs raisons : d'abord l'élégance. Elle se plaît à elle-même. Deuxièmement : le confort, son corps s'y plaît. Troisièmement : la modernité. Elle y plaît du matin au soir, et ses horaires, parfois démoniaques, ne lui permettent pas toujours de rentrer se changer chez elle. La possibilité de se retrouver, telle que l'élégance elle-même l'y oblige, de se modifier telle que le temps lui-même l'y force, et de se transformer telle que ses propres caprices le lui demandent et telle que certains accessoires le lui permettent, l'ont amenée à cette collection de Peggy Roche, choisie entre dix autres sur son magnétoscope, car Adjani a horreur d'aller aux collections.

Et puis il y a eu cette image d'elle-même en jeune fille ou en jeune femme échevelée, égarée, proche de la folie; d'une jeune femme dégrafée dont elle a assez, qu'elle a eu envie de changer, et non pas dans des falbalas de courtisane ou des sévérités de bourgeoisie qui ne lui allaient pas; mais dans une élégance libre, sobre et souple, tranquille, où les vêtements sont des assistants habiles et ajustables d'une séduction que l'on veut exercer ou, au contraire, les complices infroissables et muets d'une séduction que l'on vient juste d'exercer.

Tremplins ou paravents de sa vie, ces vêtements de Peggy Roche se moquent du temps qu'il fait, comme du temps qui passe, et ne se plient qu'au temps « sensible » de celles qui les portent; ce qu'Adjani a compris, comme elle comprend tout de ce qui peut l'aider à défendre l'essentiel d'elle-même : sa vulnérabilité.

PEGGY ROCHE
LE STYLE, ABSOLUMENT

Voilà bientôt trois ans que dans sa boutique de la charmante – mais trop paisible – rue du Pré-aux-Clercs, Peggy Roche vogue entre les élans de son imagination et les freins du quotidien. Voilà aussi bientôt trois ans que ses clientes ne quittent pratiquement plus ce qu'elle-même appelle les bases de sa ligne. Car Peggy Roche, par modestie ou rigueur, refuse les termes de collection et de mode, termes qu'elle pourrait pourtant utiliser impunément; dans le sens où collection signifie accumulation et où ses bases indéformables, inusables et indémodables peuvent s'assembler indifféremment et donc s'accumuler indéfiniment; dans le sens aussi où le raffinement de leur coupe, de leurs matériaux, de leurs nuances, de leur finition, le choix et la multiplicité de leurs accessoires et leurs multiples interprétations lui permettent de défier le temps et l'actualité.

Si elle se soucie peu de la mode, Peggy Roche, en revanche, fait plus que se soucier de l'élégance : elle en est obsédée. C'est sans doute la seule personne qui, au cinéma, lorsque l'héroïne doit être sauvagement poignardée, remarque la forme de son turban ou la cambrure de ses chaussures. Elle est une des rares femmes dans ce métier qui croit l'élégance une qualité naturelle et qui croit surtout chaque femme susceptible d'y parvenir elle-même. Son propre rôle consiste, pense-t-elle, à lui en distribuer les atouts et à lui en indiquer quelques combinaisons ; mais c'est la femme elle-même qui, devant sa glace, mène toute seule son jeu : un jeu qui lui permettra d'être personnelle sans être bizarre, d'être raffinée sans être apprêtée, d'être confortable sans être négligée, qui lui permettra de plaire et non pas d'épater ; d'attirer et non de provoquer. Bref, d'être d'une élégance naturelle parce qu'étudiée par une autre, par une femme qui sait que si l'habit ne fait pas le moine, la robe fait la femme ; que l'élégance des vêtements peut refléter les élégances du cœur et de l'esprit et que certains modèles peuvent y aider, voire y contraindre. Il faut donc remercier ce qu'on nomme le destin d'avoir permis cette année à Peggy Roche de multiplier le nombre de ses modèles et d'ajouter ainsi, comme un nouvel accessoire à sa propre boutique, peut-être le monde entier.

UN VISAGE DE LOUP
ET UN RIRE DE RUSSE

Nous avions rendez-vous à Amsterdam, ville que je ne connaissais pas, avec Rudolf Noureev que je ne connaissais pas non plus. C'était début mars, il pleuvait des seaux sur cette ville paisible et sur ses canaux, et je me demandais avec inquiétude ce que nous allions trouver à nous dire, ce célèbre inconnu et moi-même. J'éprouvais de l'admiration pour lui, bien sûr, mais c'était une admiration obscure et non pas l'admiration éclairée – donc discoureuse – du balletomane. Je ne connais rien à la danse, et mon admiration allait donc à la beauté de l'homme en lui-même, et à la beauté quand même éprouvée de ses démonstrations sur la scène à Paris. Je l'avais vu arriver en courant dans la lumière, je l'avais vu sauter dans un bond triomphant et j'avais senti quelque part que ces sauts, ces pas étaient plus beaux, plus vigoureux, plus superbes que ceux des autres. Plus tard, dans la nuit, je l'avais croisé au hasard des boîtes, piéton ailé, rapide, désinvolte, avec un visage de loup et un rire de Russe. Il faisait alors partie de la grande famille des noctambules, et il avait été facile d'échanger quelques-unes de ces phrases chaleureuses et dénuées de sens, de cours entre les passagers de nuit. Mais à Amsterdam, quiète et repliée sur sa quiétude, dans la tiédeur et l'ordre d'un restaurant bourgeois, je restai un moment comme incapable d'établir un rapport quelconque entre ce jeune homme de quarante ans et moi-même. Il était gai, pourtant, il riait, il était aussi détendu et amical qu'il était connu pour ne pas l'être, et je sentais avec effroi qu'il faisait des efforts, alors que c'eût été à moi de les faire. Des clients venaient à la table, lui demandaient un autographe, et il les signait complaisamment avec un rire sarcastique et des réflexions acides, qui me firent croire un moment avec lassitude qu'il était amer. Après quelques taxis et quelques vains efforts pour rattraper une nuit blanche qui n'existe pas à Amsterdam, ou qui du moins n'y existait pas pour nous ce soir-là, nous nous retrouvâmes vers deux heures du matin dans les fauteuils club du hall de l'hôtel, fatigués, un peu déçus, sans savoir dans mon cas si c'était de lui ou de moi. Et puis je lui demandai, je crois, s'il aimait les gens, la vie, sa vie, et il se pencha en avant pour me répondre, et ce visage ironique et indifférent devint celui d'un enfant désarmé, soucieux de s'expliquer, de dire la vérité, devint un visage sensible, intelligent et nu auquel toutes les questions devaient et pouvaient être posées.

Nous sommes restés trois jours à Amsterdam, trois jours pendant lesquels nous avons déjeuné, dîné avec Noureev, trois jours pendant lesquels nous l'avons suivi sans qu'il se départe d'une bonne grâce légère et désinvolte qui, vu les horaires draconiens de cet enfant gâté, était le comble de la courtoisie. Je ne me rappelle plus précisément les questions que je lui posai, ni leurs réponses, de toute manière ces questions devaient être bien vagues; mais toutes les réponses, cela j'en suis sûre, avaient cette précision plutôt rare de la sincérité. Un verbe revenait toujours dans sa bouche, c'était le verbe *« fulfill »* (combler). *« I want to fulfill my life »*, disait-il. Et pour *« fulfill this life »*, il y avait eu, il y avait et il y aurait toujours la danse, son Art. Il parlait de son Art avec ce respect inquiet des sauvages parlant de leurs totems. À six ans, ayant été voir au fond de sa Sibérie natale, une représentation du *Lac des Cygnes*, Noureev avait décidé d'être danseur. Pendant onze ans, il sut, sans pouvoir se le prouver un instant, qu'il serait danseur. Il n'y avait pas dans sa ville le moindre cours de danse, et ses seules exhibitions étaient à l'occasion de spectacles folkloriques. Puis on le reconnut, on le découvrit, et il arriva à Leningrad ou Moscou, je ne sais plus, où en deux/trois ans il dut apprendre ce que les autres avaient mis dix ans à apprendre : le b-a-ba de sa passion, toutes les sévères contraintes et lois de ses implacables mécanismes. Il n'eut pas de repos pendant trois ans, il n'eut pas le temps de s'asseoir, de se coucher, de dormir, et de laisser ainsi ses muscles se détendre, devenir longilignes et acquérir le délié, l'élégante minceur de ses compagnons. Les jambes, les cuisses, les mollets de Noureev sont très forts, d'un diamètre rare chez un homme de sa taille; ils donnent une impression de vigueur incroyable et un côté terrien à ce corps dont le buste, les bras, le cou sont si légers et si élancés vers le ciel. Au bout de ces trois années, on le reconnut comme étant le meilleur danseur de toutes les Russies, le premier et le seul. Seulement ses camarades qui étaient partis voguer dans la lointaine Europe étaient revenus avec des films bâclés, des courts métrages sautillants en 8 mm, mais où ils avaient filmé ce que faisaient les autres, ce qu'inventaient les autres, tout ce que lui, le meilleur, ne connaîtrait jamais et qui l'empêcherait en son âme et conscience de se sentir pour de bon et, vraiment, le meilleur. Ce n'était pas de la liberté, ni du luxe, ni de la fête, ni des honneurs dont rêvait Noureev en prenant l'avion qui l'éloignait à jamais de Moscou, de sa terre et des siens, c'était de Balanchine, des innovations, des audaces de l'art de Balanchine. Et c'est pourquoi je crois, même maintenant où quand on lui parle de sa mère ou de ses sœurs qu'il n'a pas revues depuis dix-huit ans, à qui il n'a pu que parler par téléphone, même maintenant où son visage se ferme et où il devient muet à cette simple idée, il ne regrette pas un instant ce départ. Il illustre assez bien cette image d'Épinal, ce cliché romantique si usé pourtant et qui paraît si pompeux, selon laquelle la seule patrie d'un homme, sa seule famille est son Art. Il n'a pas cessé depuis son arrivée à Paris, depuis dix-huit ans, de chercher, d'essayer, d'approfondir et d'inventer toutes les possibilités ouvertes à son corps par la musique. Il danse partout et triomphalement des succès reconnus, mais cela afin de pouvoir monter de nouveaux spectacles, de pouvoir montrer aux gens un art moderne, toujours vivant, souvent difficile, que lui seul peut-être était à même d'imposer à un public aussi conformiste que snob. Il va partout de ville en ville, il est l'homme des avions, des hôtels, des trains, il est l'homme qui ne s'arrête pas, et sa vie privée, comme son corps, obéissent au rythme qu'il leur impose. Beaucoup d'amis et pas d'ami, beaucoup d'amour et pas un amour, beaucoup de solitude mais jamais la solitude puisque le seul bagage qu'il surveille, une valise pleine de cassettes, l'accompagne partout. Noureev rentre le soir à New York, dans une chambre d'hôtel semblable à celle qu'il a quittée la veille à Berlin, et semblable à celle qui l'accueillera demain à Londres. Il jette ses chaussures, s'allonge sur le lit, écoute la rumeur de la ville, étend la main, pousse un bouton : une musique de Malher ou de Tchaïkovski s'élève et cette chambre devient celle de son enfance, de sa jeunesse, de toute sa vie à venir ; elle devient chaude, et familière, elle devient le berceau de ses seules rêveries.

Alors les gens peuvent bien le lendemain l'applaudir – et il aime les applaudissements, il en a besoin et le dit sans honte ni vergogne –, les gens peuvent bien crier au miracle ou à la déception, annoncer qu'il est le plus grand ou qu'il ne l'est plus, ils peuvent bien, sur un registre plus bas, parler de ses fredaines, de ses scandales et de sa morgue, Noureev s'en moque. La réalité pour lui, ce n'est pas cette foule avide et fidèle et les rumeurs qui la suivent, ce ne sont pas ces gros avions aveugles et sourds traversant sans cesse les océans immenses, ce ne sont pas ces chambres d'hôtels qui se ressemblent, ni même ces lits où il va jeter des kilos de fatigue, de sueur et de fards mêlés (« ce lit, le meilleur, le plus fidèle et le plus tendre des amants », dit-il), la réalité pour lui, c'est les trois heures, ou les six heures qui, chaque après-midi, l'attendent dans un de ces studios inexorablement identiques plantés au cœur de chaque ville.

Un après-midi, à Amsterdam, nous sommes allés le voir répéter. C'était un studio vert d'eau et marron, triste et sale, avec des glaces tachetées et un parquet criard, un studio comme tous les studios du monde. Il avait des lainages défraîchis et troués autour de son collant, et un pick-up grinçait et balbutiait une musique de Bach. Il s'était arrêté en nous voyant, le temps de lancer une plaisanterie et de s'éponger. Je le vis avec cette serviette éponge essuyer sa nuque, tamponner son torse, son visage, avec des gestes un peu bourrus et curieusement détachés – comme on voit des palefreniers panser leurs chevaux. Puis il fit remettre le disque au départ et, ayant ôté ses mitaines et ses lainages, il se rendit au centre de la salle, toujours souriant. La musique partit et il cessa de sourire, prit la pose, les bras écartés, et il se regarda dans la glace. Je n'avais jamais vu quelqu'un se regarder de la sorte. Les gens se regardent dans une glace avec effroi, complaisance ou gêne, et timidité généralement, mais ils ne se regardent jamais comme un étranger. Noureev regardait son corps, sa tête, les mouvements de son cou avec une objectivité, une froideur bienveillante tout à fait nouvelle pour moi. Il s'élançait, il lançait son corps, décrivait une arabesque parfaite, il se retrouvait un genou en terre, les bras tendus dans une pose superbe; il avait accompli ce mouvement avec une vitesse et une précision féline, il avait dans la glace le reflet même de la virilité et de la grâce confondues en un seul corps, et il gardait ce regard froid – intéressé, mais froid. Et tout le temps de la répétition, alors que visiblement son corps subissait l'influence de la musique, s'en imprégnait, alors qu'il allait de plus en plus vite, de plus en plus haut, qu'il semblait emporté par des dieux inconnus de tout le monde dans des rêveries intérieures, il eut vers lui-même ce même regard, regard du maître au valet, regard du serviteur au maître, regard indéfinissable, exigeant, et parfois au bord de la tendresse. Il recommença deux fois, trois fois le même morceau, et chaque fois c'était différent et différemment beau. Puis la musique cessa, enfin il la fit cesser d'un de ces gestes parfaitement impérieux qu'ont les gens comblés par quelque chose d'autre que la vie quotidienne, et il revint vers nous en souriant, épongea avec les mêmes gestes distraits cet instrument en nage, tremblant, essoufflé qui lui tenait lieu de corps. Je commençais à comprendre vaguement ce qu'il entendait par le verbe « *fulfill* ».

Après, bien sûr, il y eut Noureev gambadant sur les quais d'Amsterdam, Noureev éternellement adolescent, faisant preuve tour à tour de charme et d'exigence, parfois chaleureux comme un frère, parfois renfermé, pressé comme un étranger sur une terre hostile. Il a du charme, de la générosité, de la sensibilité, de l'imagination à en revendre, et par conséquent, il a cinq cents profils différents, et sans doute cinq mille explications psychologiques possibles. Et bien sûr, je ne pense pas avoir compris grand-chose à cet animal doué de génie qu'est Rudolf Noureev. Mais si je devais chercher une définition à cet homme, ou plus exactement trouver une attitude qui le définisse à mes yeux, une attitude symbolique, je ne trouverais rien de mieux que celle-ci : un homme à demi nu dans son collant, solitaire et beau, dressé sur la pointe de ses pieds, et regardant dans un miroir terni, d'un regard méfiant et émerveillé, le reflet de son Art.

LE RIRE

Bien que le temps, en passant, nous découvre l'inexorable vérité des lieux communs de l'enfance, il y en a un ou deux, quand même, auxquels je n'ai jamais trouvé grand intérêt, tel par exemple celui dû à Bergson et selon lequel : « le rire est le propre de l'homme ». D'abord – me semblait-il – le rire n'est pas particulièrement réservé à l'homme. Tout spectateur de film ou de télévision a vu des singes, les yeux plissés, toutes dents dehors, se tenir les côtes en versant de l'encre sur les équations d'un savant génial ou sur une robe de mariée. De même, tout propriétaire d'un chien a vu celui-ci, lors de son retour au foyer ou de quelques jeux familiers et bêtas, se rouler sur le dos, les babines retroussées sur ses dents de côté; l'hilarité étant très évidemment ce que ces deux animaux inférieurs à l'homme, dit-on et sait-on, éprouvent et expriment.

Ensuite, me disais-je un instant, en quoi le rire, pour agréable qu'il soit, reste-t-il toujours si innocent ? Car il l'est. On n'a jamais honte, vraiment, de rire : et pourquoi ? Le rire est involontaire (ou peut l'être), bien sûr, et on a honte parfois de tomber dans les larmes, ou le sadisme – pulsions tout aussi involontaires. Mais on ne peut avoir honte de rire; car rire est un réflexe triomphant. Personne ne peut avoir raison contre un rieur, ne peut gagner contre lui. Personne, en plus, ne peut commander, déclencher ni arrêter le rire d'autrui (... et Dieu merci). Et l'on sait bien que n'importe quel tiers, témoin d'un rire que, par ignorance ou incompréhension, il ne partage pas, décuple automatiquement ce rire en fou rire; et que sa gêne, sa frustration et son agacement, transformés en une vraie humiliation, le jettent dans une des rares situations où la seule issue soit la fuite.

Le rire est aussi l'un des principaux indicateurs dans cette enquête sans meurtre qu'est la jalousie du jaloux-né. Personnellement, je ne fais pas partie de la race si souffrante qu'ils représentent. Il m'est arrivé de voir quelqu'un que j'aimais avec un peu d'exclusivité parler avec une autre personne intensément, ou lui chuchoter quelque chose pour moi inaudible, sans en ressentir la moindre inquiétude; en revanche, je dois le dire, entendre ce quelqu'un rire avec n'importe qui, de ce rire ravi, complet et confiant que lui et moi partagions jusque-là tous deux seuls, m'a toujours alarmée : car si ces deux rieurs avaient déjà cédé ensemble au plaisir partagé, sensuel, du rire, pourquoi ne pourraient-ils pas céder à d'autres penchants moins innocents et plus profonds ?...

C'est que le rire a un énorme atout pour lui : il est physique. Il a tout le naturel, la vigueur, l'absence de moralité des réactions physiques : comme (très prosaïquement) l'éternuement, mais comme aussi le plaisir. Et l'on sait à quel point les désirs, les besoins, les élans et les faiblesses du corps sont innocentés et quasiment respectés et considérés de nos jours.

Le rire est ensuite en deçà ou au-delà de la société, de la morale ou de l'ambition. Le rire ne sert à rien, ne prouve rien et peut même, dans un mauvais moment, briser une carrière, une histoire d'amour, des relations mondaines, que sais-je... quand il est devenu ce qu'on appelle « fou » (pour une fois, le terme de folie est assez adéquat), devenu donc le maître des nerfs, donc du destin de quelqu'un. Même si on les évoque plus dans les romans que dans la vie, il y a des rires que les gens ne pardonnent jamais – pardonnent moins, en fait, que les insultes – : pour la bonne raison qu'une insulte dirigée contre vous est un signe d'attention, même agressif, malgré tout ; alors que rire devant vous, que l'on rie de vous ou non, signifie qu'on vous oublie. Et l'oubli, on le sait, est la pire des insultes.

Le rire est profond, puissant, exclusif. Il ne laisse pas place à d'autres sentiments, ni à d'autres expressions. Et d'ailleurs, quoi de meilleur que cette gaieté, cette insouciance, ce naturel, dont on est de plus en plus sevrés dans l'existence, et dans les spectacles d'ailleurs, à mesure que la radio, la télévision et les médias infligent leur médiocrité au « Comique français ». Lequel comique reprend toute sa vigueur et son cynisme à la première occasion. Car il est inexorable, définitif. Le rire est tout ce que l'on voudrait être, ou plus exactement, tout ce que l'on voudrait que chacun de nos sentiments soit : accompli, intouchable, instinctif et résolu. Il procure à la fois plaisir et fierté – duo rare d'après Freud et le pape actuel.

Le rire a eu autant d'importance dans ma vie que l'amitié et l'a, le plus souvent, accompagnée, disons doublée. Il a été, il est un des éléments essentiels de mon existence quotidienne. J'ai eu de la chance à ce propos : d'abord parce que je suis née dans une famille où, quand les enfants disaient pour expliquer leurs bêtises : « Oui, mais qu'est-ce qu'on s'est amusés ! », bien sûr ce n'était pas une excuse suffisante mais c'était tout au moins une circonstance atténuante. Une famille où chacun avait des plaisirs d'humour différents, tout en se plaisant beaucoup à celui des autres ; une famille où, si la politesse était exigée, elle n'excluait pas l'ironie, et souvent l'invitait.

Et puis, plus tard, j'ai eu la chance, le temps, l'occasion, la possibilité, de fréquenter des gens qui étaient drôles et qui en devenaient de ce fait de vrais amis, se montrant, du même chef, susceptibles d'amitié. Parce qu'il y a dans le goût du rire, dans son usage fréquent (je ne parle pas du rire sarcastique, forcé, amer ni diabolique, je parle du rire qui naît de la cocasserie, du comique ou de l'horreur de l'existence), il y a donc, je trouve, dans le rire, de l'abandon, de la générosité, bref de l'innocence – ou le regret de l'innocence. En tout cas du goût pour elle, un goût qui s'entend très mal avec la si aisément médiocre méchanceté. Les gens méchants, les gens avides, les gens avares, les gens prudents se méfient du rire puisque le rire détend les nerfs, et aussi, chez eux, une corde qu'ils tiennent à garder tendue. L'aspect, le côté relâché du rire les inquiète, les énerve, les pousse même finalement au mépris, ce mépris silencieux, et si content d'exister en silence qu'il en devient infect. Mais quelle joie de découvrir cette condescendance chez quelqu'un qui ne faisait jamais que sourire de vos plaisanteries ! Quelle joie, surtout, quand quelqu'un d'autre pleure de ces plaisanteries ou en rit à tue-tête ! Quel bonheur de mépriser qui vous méprise, ou, tout au moins, de s'en moquer ! Des souvenirs me reviennent à la mémoire, parfois, en y pensant, comme autant de découvertes tardives, et je dois les repousser avec énergie pour continuer à écrire, par exemple, et ne pas me rouler de joie sur mon divan.

Mais, bref, ayant ri dès mon enfance (et parfois dans des circonstances lugubres, mon père ne supportant pas la moindre borne, la moindre contrainte ni la moindre bienséance, à son rire), je plongeai dans la célébrité avec un goût du comique qui, je crois, m'aida beaucoup à éviter les plus funestes écueils de cette célébrité, dont ce fameux « coup de grisou » supposé intoxiquer les âmes les plus fortes, et dont on s'accorde à déclarer, dans les milieux les plus divers, qu'elle n'a pas ébréché ma modestie naturelle. Il faut dire que ma famille, endurcie depuis cinq ans à mes prétentions et à mes délires littéraires, ma famille qui, depuis que j'avais douze ans, faisait des crochets dans les couloirs en m'apercevant munie de papiers, car je lisais mes tragédies à la première victime assez faible ou assez fatiguée pour ne pas m'éviter, ma famille ne vit dans mon premier roman que la plus récente de mes divagations et de mes élans intellectuels. Elle ne s'inquiéta pas de la possible adhésion d'un million de Français à ces sottises et me laissa publier ce que je voulais, en plaignant mon éditeur. Là, on sait la suite… Cela ne désarma pas cette sorte de condescendance qui, Dieu merci, règne dans toutes les familles à l'égard de ses membres les plus jeunes, surtout quand ils sont un peu bègues et qu'ils invoquent Nietzsche comme on invoque le journal du jour et qu'ils prennent des airs penchés à la moindre rime, ce qui était mon cas. Bien qu'un peu ulcérée par cette condescendance classique et amusée, je crois néanmoins que celle-ci fut un contrepoids idéal aux flots de louanges et d'invectives que je reçus subitement de tous côtés. Et aujourd'hui je sais que j'aurais peut-être acquis, sans ma famille, une de ces discrètes mais indéfectibles auto-admirations qui bercent certains auteurs tout au long de leur existence, et empoisonnent leur entourage, proche ou lointain. J'ai encore de vagues espoirs que mes amis, pendant toutes ces années, aient plus ri avec moi que de moi. Ce en quoi je me trompe peut-être, d'ailleurs.

Partageant ma vie, donc, par la suite avec des gens qui aimaient rire, j'en ai même connu pour qui le rire était une sorte de sacerdoce. Ils ne respectaient rien en privé, rien en public, et trouvaient le côté drôle de tout, y compris d'eux-mêmes, et ce, même à leur désavantage. Le côté drôle de tout, sauf ?... Ce « sauf » arrête encore ma plume, jusqu'ici glissante, et m'empêcherait de poursuivre, à moins d'admettre qu'il n'y avait pas de « sauf » : les chagrins sentimentaux (les seuls attristants, en général, que nous ayons alors à supporter) étaient la proie des facéties des uns ou des autres, excitaient l'ironie quand c'étaient ceux d'autrui, et l'humour, quand c'étaient les siens. Car il ne faut pas oublier que si le rire est une cuirasse, voire une arme blanche, il peut être aussi, dans les cas graves, une armature, une minerve, qui vous tient debout :

sourire forcé, parfois, mais tête droite. Malade de chagrin, bien sûr, mais voix égale. Avec, parfois, même dans la déception amoureuse la plus cruelle, ce déferlement inattendu causé par trois mots, une image, une idée, qui nous faisait retrouver notre gaieté et notre vraie nature dans l'éclat d'un rire dont on aurait renié, sinon l'existence, du moins la possibilité. Pas complètement, hélas ! Le rire peut sonner triste, voire faux. On rit comme les chiens, quand on est très malheureux ; on ne rit pas : on aboie. On ne pouffe pas : on jappe ; sans bien reconnaître, d'ailleurs, sa propre voix. Et les témoins sensibles, s'il y en a, sont gênés de cette raucité animale. Peut-être ai-je là une idée saugrenue, peut-être personne ne jappe-t-il le moins du monde, même dans les chagrins dont je parle. Peut-être ai-je écrit là n'importe quoi, sans même y croire moi-même : juste pour avoir l'air observateur... Voilà qui serait amoral et me ferait aboyer après par les gens sensés, et mordre au mollet par les critiques, outrés de ces faussement fines remarques ! Et de ne plus rire ! Et de me taire !

Pour en revenir au rire, je me sens obligée, tels les candidats à ces jeux richement primés de la télévision, qui disent bonjour, au passage, à leurs parents, leurs époux, leurs collègues et la « petite Colette », je me sens obligée de citer Jacques Chazot, le meilleur des amis et le plus drôle des hommes drôles de Paris. Un homme qui, en quarante ans, ne m'a fait pleurer que de rire. Il est impossible de citer un mot de lui, une facétie : il y en a trop, car son humour comporte de l'extravagance, de la cocasserie, un faux bon sens, une imagination et un sens du dérisoire joints à une absence réelle de recherche, qui rendent ses plaisanteries non seulement désopilantes mais réjouissantes, du mot réjouir : qui vous réchauffent le cœur d'avoir ri. Il n'y a pas tellement de rires dont on n'ait pas un peu honte à Paris, mais le sien, celui qu'il procure, en est un. Le miracle est que lui-même trouve encore autant de satisfaction à faire rire après tant de temps et tant de succès dans ce domaine. Il devrait en être lassé, certains jours, semble-t-il. Ce n'est d'ailleurs pas un miracle, je le sais par expérience. Je me souviens d'être restée sur une marche, dans le hall de *l'Atelier*, où l'on jouait *Château en Suède*, et quelques années plus tard, dans l'escalier du *Gymnase* où l'on jouait *Le Cheval évanoui*, à écouter rire les spectateurs. Je crois vraiment qu'il y a peu de choses aussi délicieuses (à part peut-être voir arriver son cheval premier à Auteuil), il y a peu de choses aussi délicieuses, donc, que cette houle, ce rire arraché à la gorge de centaines de personnes, heureuses d'être assises là, à votre merci, immobiles, hilares, attendant la prochaine bêtise de vos héros avec impatience, et devenues, de ce chef, vos complices, amis et vos proches parents. C'est un délicieux pouvoir de faire rire, le seul que je connaisse concrètement, et le seul, d'ailleurs, que j'aime à exercer – sur plus d'une personne, s'entend.

Rire. Faire rire. Rire soi-même. Revenir au plus naturel de cette personne privée, que l'on fréquente si peu et qui est soi-même, et déclencher en elle quelque chose qui est à la fois l'enfance, l'adolescence et la vieillesse, quelque chose qui relie notre appartenance à ce monde et notre recul devant lui : notre goût avoué de la vie et notre refus dédaigneux de la mort, réunis ne serait-ce que trois minutes, mais trois minutes d'un bel et bon orgueil.

Car, qu'il soit féroce ou doux, suave ou sardonique, le rire, comme le soulignent l'adjectif et la locution qu'on lui accole si volontiers : l'irrésistibilité et les éclats, le rire est avant tout cette preuve éclatante et irrésistible de notre liberté première.

LA SEMAINE DE FRANÇOISE SAGAN

Derrière le visage de cette Femme fardée *dont le bonheur effacera, d'escale en escale, les masques et les peurs, il y a bien le fameux charme, la grâce légère qu'on associe depuis bientôt trente ans à celle par qui le scandale arrive, un été 1954... Françoise Sagan. Depuis tout ce temps, à jamais juvénile, de livre en pièce, elle nous offrait cette voix menue, si joliment retenue, volant au passage à Éluard quelques merveilleux nuages, posant un piano dans l'herbe où tournoyait la robe mauve de Valentine...*

Sur la porte de sa maison, une étiquette saugrenue « Attention, chien fugueur », par la fenêtre, un petit jardin baroque et, dans sa chambre, un arbre, des disques, des livres. On a tant et tant écrit sur elle, ce visage sous la mèche châtaine nous est devenu si familier qu'on est presque choqué de la trouver là, à Paris, si semblable à elle-même, si... Sagan... Gentiment, elle répond, sourit, s'amuse, raconte les nuits passées à suivre les douze personnages qu'elle embarqua pour une croisière musicale et qui, petit à petit, comme malgré elle, se modifièrent. « Au début, Edma était antipathique, et puis elle est devenue l'une de mes préférées. Je l'aime bien, pas vous ! » Ce mois-ci, en librairie, outre La Femme fardée, *un recueil de nouvelles :* Musiques de scènes. *« Les hasards de l'édition », commente-t-elle d'un sourire. Glissons... Les démêlés de Sagan avec Flammarion qu'elle quitte, souvenirs de robes noires d'avocat, glissons...*

Don Carlo *nous y invite, qu'elle vient de poser sur sa chaîne, ou ce trio de Beethoven, le n° 4. « Il y a une espèce de vague histoire qui se passe, des rapports sentimentaux entre les instruments ; dès qu'ils sont trois, c'est comme s'ils avaient des rôles... » C'est ce que nous a toujours dit Sagan... Va-t-on reparler, une fois encore, de l'éternelle « petite musique » ? Ce n'est pourtant pas du tout le registre du célèbre et torturé Hans Helmut Kreuze, ni de la diva colorature qu'emporte sur cinq cents pages le navire musical de son dernier roman...*

Samedi 11

PELOUSE. – Deuxième test-match de rugby à XV. Australie-France.

– Dans ma famille, tous les hommes sont des rugbymen aficionados forcenés. Évidemment, je suis née dans le Sud-Ouest ! J'ai même un oncle qui – c'est selon les jours et les mythomanies – a sauvé l'équipe de France ou la Coupe d'or du Quercy, je n'ai jamais su. Mais quand même !

NOSTALGIE. – « Ciné-show : les Costars » autour des années soixante, films, actualités et chanteurs de l'époque. Jusqu'au 14 (l'Escurial, 336-32-30).

– Cette chose-là me ferait croire à la fin du monde... On a copié les années trente, quarante, cinquante, soixante. Incessamment, ce sera soixante-dix... Lorsqu'on sera rattrapé par la génération qui nous suit... quel crash !

Dimanche 12

LARMES. – *Les Deux Orphelines*, de D'Ennery et Cormon. Réalisation de Gérard Thomas (A 2, 15 h).

– Dans les tournées de province, une même comédienne jouait la Comtesse et la Frochard, cette femme hideuse qui boit, qui bat les enfants, enfin qui a tout contre elle. J'avais cinq-six ans, j'étais fascinée. Quand j'ai compris que c'était la même, ça m'a foutu toute ma mythologie théâtrale en l'air !

SOUTANES. – « Rue des Archives », émission de l'INA sur les prêtres. Avec l'abbé Jorens, Yves Milliard. Réalisation d'Yves Kovacs (FR 3, 20 h 30).

– Je suis toujours effrayée par les généralités. Tenter de comprendre des gens par corporation, par âge ou par siècle, c'est risquer une série d'erreurs. Il doit y avoir de bons et de mauvais prêtres, des prêtres rigolos et des prêtres assommants, non ?

THRILLER. – *Le Carrefour de la mort*, de Henry Hathaway. Avec Victor Mature, Coleen Gray, Richard Widmark. « Cinéma de minuit » (FR 3, 22 h 30).

– Tous les films qu'on jouait au « Mac-Mahon » autrefois... J'allais à l'école rue de Ponthieu et je passais mon temps au cinéma comme on le fait à cet âge-là. Mature, Widmark et Gray ! L'ennuyeux, c'est qu'on se dit toujours « Tiens, on va voir ça » et puis, avec le magnétoscope, on enregistre tout maintenant... Et on ne voit rien. Pour les intoxiqués de la télévision, pour ceux qui veulent s'en guérir, c'est génial. Au début, ce magnétoscope, mon fils seul l'utilisait, je n'ai vu que du rugby ou du foot pendant un an. Depuis, j'ai appris à m'en servir... et je ne vois toujours rien.

Lundi 13

CHANTEUSE. – Récital Maria d'Apparecida. Les 13 et 14, à 22 h (Théâtre du Rond-Point, 256-70-80).

– Je me souviens d'un merveilleux disque d'elle, qui s'appelait *Canta o Brasil,* il y a très longtemps de cela... Plus de vingt ans, et pourtant... Je l'entends d'ici.

POÉSIE. – « Dire et chanter Prévert », par le Théâtre de l'Étuve, de Liège (Stavelot, 22 h 30, 88-27-99).

– J'ai un mal fou à entendre des gens dire de la poésie. Ça m'a toujours gênée. Ça se lit un peu seul, non ? Je ne sais pas si vous avez remarqué, mais il est toujours plus difficile dans un salon de dire « J'aime Verlaine ou... Rimbaud » que de donner des détails sur ses mœurs ou de dire « Je cours chez Un Tel », vous ne trouvez pas ? Il y a des choses qui s'avouent à peine.

Mardi 14

RADIO. – « Cours après moi, shérif », avec Burt Reynolds et Sally Field. Débat sur la cibi aux « Dossiers de l'écran » (A 2, 20 h 40).

– Les cibistes ont sûrement un grand désir de communication. Malheureusement on a l'impression que ce sont toujours les mêmes qui parlent, ceux qui parlent en famille, ceux qui parlent à la radio, ceux qui parlent partout. À notre époque, la majorité silencieuse, c'est devenu tout simplement une bande d'individus qui n'a pas de micros.

Mercredi 15

MUSÉE. – *Montparnasse*, film de Maywald avec la participation de Pierre Soulages et Vieira da Silva (Beaubourg, 277-12-33).

– On mélange un petit peu tout. J'aime bien voir les musées, les toiles, mais finalement je crois que j'ai des rapports assez solitaires avec l'art.

COLORATURE. – Récital de Montserrat Caballé et José Carreras (Festival de Vaison-la-Romaine, 90/36-06-25).

– J'ai une passion pour la Caballé, sa voix qu'au lieu de pousser elle retient et qui devient d'une sensualité étonnante.

PHOTO. – « La jeunesse a vingt ans ». Exposition de photos (BPI, 277-12-33).

– Un pléonasme... Les pauvres jeunes, ce qu'on doit leur casser les pieds à toujours parler d'eux ! On les a célébrés, on leur a offert le pouvoir d'achat, on en a fait des pigeons. Ils parlent surtout des intermédiaires, on dirait qu'ils écoutent plus volontiers Grundig que les Bee Gees, le comment a remplacé le pourquoi partout, y compris dans le domaine moral. C'est pourquoi l'arrivée de Mitterrand est salvatrice. Ne plus dire : « Comment allez-vous faire pour payer les ouvriers ? » mais : « Pourquoi ? Parce qu'il le faut. »

Jeudi 16

CRÉATION. – « Littérature et Télévision » aux VIIIes Rencontres internationales d'été de la Chartreuse de Villeneuve-lès-Avignon.

– J'avais fait *Les Borgia* pour la télévision. On en était arrivé à ce genre de négoce : « Vous enlevez le bateau et l'épisode de la bataille et je vous rends trois chevaux » ! Le jour où ils se décideront à payer les auteurs et les acteurs, c'est très simple, il y aura une très bonne télévision. Sinon, on sera réduit en pâtée.

WESTERN. – *Butch Cassidy et le Kid*, de Roy Hill. Avec Robert Redford et Paul Newman. Reprise sur les écrans parisiens.

– J'ai failli le voir, chez Melville, un soir, avec Signoret. Ils l'ont projeté et je n'avais pas dormi depuis trois ou quatre jours. C'était en sépia marron, je me souviens, très beau. Je me suis endormie au premier sépia, réveillée au dernier. Je suis tombée sur l'épaule de Simone et voilà, je n'ai pas vu *Butch Cassidy* !

Vendredi 17

LOT. – VIe Festival de jazz à Souillac (65/37-81-56).

– C'est chez moi ! Je suis née à Cajarc, c'est tout près... Mais je préfère être seule avec des disques plutôt qu'avec des gens qui toussent, qui remuent. On est fasciné par quelqu'un qui a un bouton sur la nuque ou je ne sais quoi, on est complètement distrait.

AVIGNON. – *Le Roi Lear*, de Shakespeare. Mise en scène de Daniel Mesguich (A 2, 22 h).

– Mesguich a infiniment de talent... mais Avignon ? Sous prétexte que Vilar y a travaillé des années, la ville est devenue un label. Rude destin… Pourquoi ne monte-t-on pas *César et Cléopâtre,* du même Shakespeare ? Une pièce que l'on devrait confier à quelqu'un comme Hossein, dans un immense théâtre, avec l'arrivée des galères…

AU CINÉMA

Les articles publiés dans *Au cinéma* proviennent des journaux suivants : *Égoïste*, *Vogue*, *L'Express*, *Le Monde*.

AVA GARDNER

Je pourrais juste dire qu'elle était belle, et seule, et généreuse, et quelle aimait rire parfois.

Ce n'est pas moi en réalité qui devrais prononcer cet éloge funèbre, même s'il est vrai qu'Ava Gardner et moi-même nous soyons rencontrées, parlé, amusées, même s'il est vrai que nous ayons partagé des après-midi oisives, des nuits blanches et des petits scandales, des points de vue et des fous rires. Bref, que nous ayons été un peu complices pendant un mois il y a belle lurette, lorsqu'elle tournait *Mayerling* avec l'exquis Omar Sharif, supposé être son fils dans le film, et qui dans la vie lui portait un dévouement tout paternel, celui qu'elle inspirait aux hommes qu'elle ne saccageait pas. Malgré cette brève, si superficielle mais pour moi si réelle rencontre, j'imaginais, pour suivre sa dépouille mortelle, le chœur de ceux qui avaient suivi son corps vivant, j'imaginais beaucoup de voix masculines murmurant des mots usés et passionnés : « Qu'est-ce qui t'a plu en moi ? Pourquoi m'as-tu quitté ? Pourquoi ne m'as-tu pas cru ? Pourquoi m'avoir dit tout ça ? », etc. Un concert de voix masculines à la fois nostalgiques et incompréhensives dans leur passion, comme le fut son public d'ailleurs dans son admiration, car Ava Gardner était une autre. Elle était plus belle que ses rivales, plus amorale et plus désinvolte aussi. Et elle était plus seule que toutes.

C'était un animal très beau et très digne de ce fait, et très étranger. Elle n'offrait aucune solution, aucun avenir, aucune explication à ses amants, car sa beauté soulignait le divorce parfois pas évident au cinéma entre sensualité et vulgarité.

Et de même sa carrière était inexplicablement paradoxale : ni déchue, ni glorifiée, ni vraiment portée aux nues, ni vraiment reconnue dans son milieu, elle était l'actrice dont la beauté primait sur le reste et n'évoquait qu'elle-même.

Sa beauté ne l'emprisonnait pas comme Bardot, ne la blessait pas comme Marilyn Monroe, ne l'affolait pas comme Garbo. Sa beauté était là avec elle, tranquille. C'était pourquoi les femmes aussi l'aimaient bien, parce que nulle femme ne l'imaginait au foyer, que nulle ne lui en voulait de ne pas y être; et que de même nul homme ne l'imaginait fidèle, même si certains se désespéraient, car contrairement à toutes ces comédiennes dont la foule suivait les amours, les mariages, les accouchements avec sentimentalité (ces femmes que l'on retrouvait devant des cuisinières ou devant des cliniques), on ne retrouvait Ava Gardner qu'entourée de valises, avec, portant ces valises, un nouvel amant.

À force d'être nombreux, ceux-là ne faisaient plus figure de victimes, et on attribua ces amours à d'étranges déviations : le goût de la dérision pour Mickey Rooney, le goût de la mort pour Dominguin. En tout cas, elle n'apparut jamais comme la moitié de quelqu'un, on ne l'imagina jamais attachée ou frappée par la condition féminine. Elle se promenait, à travers sa célébrité et ses passades, avec une sorte d'indifférence, une sorte de recul aussi rare que son physique. C'est peut-être pour cela que les femmes l'aimèrent et supportèrent son insouciance.

C'est pour cela aussi peut-être que *La Comtesse aux pieds nus*, le seul film où elle ait joué un rôle qui la représentait, où elle joua sa propre mort, fut aussi le seul film où elle sembla jouer la comédie. Car le cinéma, la caméra, les obsessions et les miroirs qu'ils promènent avec eux n'étaient pas son fort. Je la vis aborder le tournage de scènes tragiques en souriant, en mettant son chapeau de travers sur la tête, en envoyant des clins d'œil, je la vis aussi s'endormir sur le sol, parce que la mise en scène était trop lente (elle fut d'ailleurs dans ces scènes admirablement belle et superbement ailleurs). Je la vis bien plus concernée par un orchestre de Tziganes qui jouait faux ou par un maître d'hôtel abject, ou par un président de compagnie trop hypocrite : ses agacements, je dois le signaler, se traduisaient par des nappes tirées, des tables renversées, des présidents-directeurs vidés d'un taxi, ou par des disparitions interminables. Je vis des banquets en son honneur où elle ne vint pas, je la vis marcher dans la rue des nuits entières, je la vis réfugiée dans des silences orageux, mais ce n'étaient pas les caprices d'une star que je regardais, loin de là, c'étaient les sursauts d'un animal prisonnier que l'alcool délivrait souvent, bien sûr, pas toujours, je dois le dire, pas assez si je me rappelle la profondeur de ses chagrins muets. On jura de se revoir, on ne se revit qu'une fois, en effet, dans un aéroport, je crois, en tout cas dans un endroit bourré de gens qui nous laissèrent nous apercevoir, échanger un regard, d'abord étonné, puis ravi, puis l'instant d'après, lorsque nous ne nous aperçûmes plus, nostalgique. Du moins, j'espère, le sien le fut comme le mien. Quelqu'un me fit, bien sûr, remarquer qu'elle avait beaucoup changé. Mais je n'étais pas d'accord. C'était toujours ce port de tête orgueilleux, ces yeux froids et mélancoliques, et cette bouche si ferme, autant dans ses refus que dans ses appétits. C'était toujours cet animal hautain et mystérieux, qui ne me donna d'explications qu'une seule fois : en me racontant un soir qu'elle avait passé son enfance et son adolescence entre un père qui bêchait les champs et une mère qui lavait le linge du matin au soir et du soir au matin, qu'elle n'avait vu que leur dos pendant quinze ans, et que depuis, elle ne supportait plus de voir le dos de qui que ce soit. Ce « qui que ce soit » fût-il occupé lui-même à lui écrire un contrat fabuleux. Non, il lui fallait un visage, un regard, une voix posée sur elle, comme il en faut à chacun de nous, sauf que, chez elle, c'était indispensable et désespéré. Bien sûr, elle croisa bien des regards, et toujours ce fut elle qui les quitta, mais peut-être s'en détourna-t-elle la première par mauvaise foi ou pour les devancer ! Qu'importe ! Qu'importe la vérité dans son cas. La vérité n'est nécessaire que pour les faibles ou les prudes, ce qu'elle n'était pas. Qu'était-elle d'ailleurs ? Plus j'y pense, moins je me le rappelle, moins je le sais. Je pourrais juste dire qu'elle était belle, et seule, et généreuse, et qu'elle aimait rire parfois. Je pourrais dire qu'elle était de ces gens qui font de notre vie parfois une sorte de paysage poétique, mais dont on a le sentiment qu'elle est pour eux un désert d'amertume, de ces gens primitifs ou décadents, dont on ne sait où ils vont, et qui sans doute ne le savent pas eux-mêmes, tant ils sont ligotés par la nature. Et, dans le cas d'Ava Gardner, par leur beauté intrinsèque. Et donc au demeurant dont la destination importe peu, tant ils ont de grâce et d'éclat quand on les croise. Et tant ils traînent de rêveuses questions après sur leur passage, à la suite de leur démarche hasardeuse et inimitable.

CATHERINE DENEUVE, LA FÊLURE BLONDE

De Catherine Deneuve, on disait qu'elle avait un secret et un secret à mes yeux intéressant, puisque cette jeune femme belle, blonde et célèbre, qui séduisait les Américains par son charme français, et les Français par sa beauté américaine ne s'était pas permis depuis vingt ans la moindre faute de goût : je ne l'avais jamais vue parler de son art avec des sanglots dans la voix, je ne l'avais jamais vue sur la plage de Saint-Tropez, cajoler un enfant extrait pour la circonstance d'un collège suisse ; je ne l'avais jamais vue, non plus, ceinte d'un tablier de percale et l'air malicieux, tourner une sauce Béchamel sur ses fourneaux. Et je ne l'avais jamais vue dans une gazette comparer les charmes de Vadim à ceux de Mastroianni. Ses rapports amoureux n'avaient jamais fait les choux gras du moindre reporter ou du moindre magazine, pourtant friands de ces péripéties. J'ignorais tout de sa vie privée. Bref, j'appréciais en elle une pudeur, une discrétion, une fermeté que je savais, par expérience, difficiles.

Selon leur degré de sympathie, la presse en général et ses interviewers en particulier parlaient de sa froideur ou de son mystère. Que la timidité et la réserve fussent considérées comme un mystère n'en était pas un, en tout cas pour moi à notre époque, où, comme on le sait, l'exhibitionnisme des uns va au grand galop au-devant de l'indiscrétion des autres, et où l'intérêt de l'interviewé pour lui-même non seulement comble l'intérêt de l'interviewer mais très souvent le déborde. Je parle ici uniquement des stars, dont la carrière, après tout, demande sinon exige, tout le temps et partout, la présence de caméras et de haut-parleurs – présence qui leur deviendra vite délicieuse ou haïssable, selon leur nature, mais qui ne leur sera plus, plus jamais, indifférente.

La célébrité, ses soleils et ses casseroles, certaines femmes comme Garbo ont passé la moitié de leur vie à la fuir. D'autres comme Bardot ont failli lui abandonner la leur. D'autres, tant d'autres, tellement d'autres, l'ont recherchée jusqu'à leur mort, et certaines sont mortes de n'avoir pu la trouver. Mais chez toutes ces vedettes, hommes ou femmes, qu'il se soit transformé en passion ou en horreur, en nécessité ou en névrose, il y avait au départ un désir de résonance, d'écho, de reflet. Si l'on peut, je crois, devenir innocemment, par simple et dévorante passion de jouer, un monstre sacré du théâtre, je ne crois pas en revanche qu'on puisse aussi innocemment devenir une vedette ou une star de cinéma. Car s'il faut se lancer sur une scène de théâtre, s'il faut s'étouffer du désir de faire trembler, rire, ou pleurer cette énorme bête noire, aux mille souffles haletants, accroupie devant vous, en revanche, c'est la caméra qui avance vers vous ; et l'on peut, ou l'on peut ne pas, assister à ses rushes ou à la première projection. Bien sûr, il y a belle lurette que le mythe de la star avec ses fourrures, ses bijoux, ses amants, ses fêtes, ses triomphes, son art et son perpétuel bonheur de vivre, il y a belle lurette que ce mythe s'est révélé moins facile à vivre qu'à rêver. Il y a belle lurette aussi que l'on dénonce dans des films, des pièces, des livres, la lancinante mutilation que votre propre image peut infliger à votre nature, et surtout la féroce absence que laisse en vous cette image lorsqu'elle s'absente aussi des affiches, des échos et des mémoires. Contemplée, chérie, aimée par des millions d'êtres humains, physiquement désirée par la moitié de ces millions, comment se résigner à n'être plus, un jour, désirée, aimée, chérie et contemplée que par un seul homme ou une seule femme ? Et cette vieillesse, même lointaine, qui se révèle déjà cruelle, humiliante et pénible pour tout le monde, comment supporter qu'elle soit en plus pour vous dégradante, déshonorante, implacable ? Comment supporter que le temps, cet ennemi vague de tout un chacun, devienne pour vous un ennemi si précis, si complet, destructeur aussi bien de votre carrière, votre entourage, votre mode de vie, que de votre travail même, c'est-à-dire, un peu, de votre honneur… Un ennemi qui fera de vous, un jour forcément, l'objet à abattre pour ceux ou celles qui, nés plus tard, se retrouveront automatiquement les vainqueurs, les voleurs de tout ce que vous avez possédé, gagné par vos mérites, ou acquis aux dépens de rivaux démodés. Pour désirer, et si on l'a déjà, retenir cette célébrité devenue fatale (je ne parle pas, bien évidemment, de la renommée des comédiens mais de la célébrité des vedettes), ne fallait-il pas être un peu fou ou un peu masochiste ?

Je roulais donc dans ma tête ces grandes pensées tout en roulant dans ma petite voiture vers l'appartement de Catherine Deneuve. Je sonnai à sa porte. Elle m'ouvrit et j'oubliai aussitôt ces sombres pronostics. Je me trouvai en face d'une jeune femme superbe qui semblait avoir à peine passé la trentaine et qui semblait aussi gaie, aussi naturelle, aussi peu froide et aussi libre que si nous avions été en classe ensemble. Ce qui, je l'ajoute tout de suite, n'est pas le cas, hélas, pour moi qui suis très largement son aînée (avantage qui m'échoit de plus en plus souvent mais qui, compensé par mon infériorité en matière d'organisation, de maturité et de sécurité, ne me laisse aucun sentiment ni de supériorité ni de son contraire).

Pour en finir avec mes précédentes digressions sur le vedettariat, je dirai tout de suite que si Catherine Deneuve a très évidemment le physique et le talent de son métier, elle n'en a pas, je crois, l'obsession, et qu'elle ne semble exposée ni aux excès, ni aux ravages, ni même à certains plaisirs que cette obsession procure peut-être; qu'elle semble savoir, avec Chateaubriand, que la gloire, on la partage aujourd'hui avec le criminel et le vulgaire; j'ajouterai que lorsqu'elle parle d'elle-même, comme tout le monde, à la première personne du singulier, elle ne semble pas, comme beaucoup, en invoquer une troisième, devant laquelle l'interlocuteur doit intérieurement se prosterner; et que pour expliquer sa très belle trajectoire, c'est avec beaucoup de grâce qu'elle évoque le hasard et non pas une nécessité intérieure, un sous-moi confus, un de ces inconscients hagards et ignares que certaines starlettes intellectuelles jettent si facilement à la tête des journalistes. Bref, qu'elle n'est ni prétentieuse, ni sotte, ni faible, ni méchante, ni méprisante.

Je crois pouvoir affirmer que pour Catherine Deneuve, l'amour, l'amitié, l'autre, les autres, le bonheur, l'angoisse, le remords, le plaisir sont les éléments les plus importants de son existence. Son champ de bataille ne se passe pas sur les planches ni sous les spots ni dans les studios. Son champ de bataille, c'est les sentiments. Et Dieu sait que ce champ-là est grand. Et Dieu ou personne sait comme je me sentis soulagée, après de lugubres analyses, de découvrir que cette femme célèbre, si besoin était, dans quinze ou vingt ans, saurait trouver sur un seul et unique visage tout ce que des millions de regards lui renvoyaient aujourd'hui anonymement et mondialement, c'est-à-dire le sentiment d'être nécessaire au bonheur d'autrui; et que cette nécessité alors non seulement lui suffirait mais la comblerait en retour.

Ma vision du vedettariat ayant été dès mon arrivée parfaitement démentie par la seule présence de Catherine Deneuve, je préfère lui laisser la parole à elle ou, du moins, à tout ce que ma mémoire a pu retenir d'un après-midi ensoleillé et pluvieux, place Saint-Sulpice où se battaient des pigeons gris. Je ne citerai pas mes propres questions, d'abord parce que je ne m'en souviens pas et ensuite parce que leur absence permettra aux lecteurs de créditer d'ingéniosité et de quelque bon sens lesdites questions.

« C'est très gentil de venir me voir mais quelle drôle d'idée ? Je n'ai pas grand-chose à dire, vous savez…

« Je ne sais pas si comme ça, sans vous connaître, je pourrai vous donner une interview bien originale ni bien intéressante pour vous…

« De quoi allons-nous parler, alors ? de ce que vous voulez. Les journalistes disent que je suis froide et distante mais je ne me sens ni froide ni distante, je me sens simplement naturelle mais j'ai horreur de parler de ma vie privée. Est-ce que cela vous paraît extravagant à vous ? Non, bien sûr. C'est quand même étonnant cette époque où tout le monde doit laver sa chemise, ouvrir son lit ou exhiber ses sentiments en public. Je trouve ça affreux. Remarquez, je ne suis pas pudique par discipline, j'ai été élevée comme ça. Ça facilite la pudeur, le secret, donc le bonheur dit-on. Heureuse, suis-je quelqu'un d'heureux ? Comment le savoir ? Il y a des moments où je suis très heureuse, des moments où je suis très malheureuse, et très peu entre les deux.

« En fait, voyez-vous, quand je suis très heureuse, ça me fait peur. J'ai l'impression que le malheur, enfin la mélancolie est plus normale que la gaieté, que la joie. Quand je suis heureuse, j'ai l'impression que je vais devoir le payer plus tard, et même souvent il m'arrive de le payer d'avance. Par exemple, je me suis arrêtée de fumer pour compenser une surprise, un bonheur que je n'attendais pas... Vous trouvez ça fou... Eh bien moi, je ne trouve pas le bonheur naturel ; et je vous assure qu'il y a beaucoup de gens comme moi. J'en connais beaucoup qui ont peur du bonheur, enfin qui adorent ça, bien sûr, mais qui en ont peur. Vous savez, je ne suis pas une passionnée de Freud, je ne suis pas passionnée par l'inconscient. En revanche, je crois que Freud a raison quand il dit que tout se passe pendant l'enfance. Je sais, je suis persuadée, dans mon cas, d'avoir eu un choc, un traumatisme quelconque dans mon éducation qui m'a donné cette impression de culpabilité perpétuelle dont je ne suis pas arrivée à me débarrasser. Cela peut paraître bizarre chez moi mais c'est ainsi. Je suis difficilement arrivée à vivre avec moi-même, à me dresser, à m'équilibrer, et même si je me sens beaucoup moins à la merci de mes propres humeurs, j'ai des moments de grande dépression comme de grand bonheur, indépendamment de ma volonté et de ma raison, comme tout le monde, j'imagine ! En fait, je ne pensais pas qu'on puisse adorer la vie en étant pessimiste sur elle. Quand je dis pessimiste sur la vie, je ne pense pas aux gens. Je ne suis pas pessimiste sur la nature humaine, mais en fait, cela m'est assez facile puisque je suis libre de choisir «mes gens». Je ne cherche le contact que de ceux que j'aime. C'est-à-dire de ceux qui sont bons, fidèles, loyaux, intelligents, sensibles. Je n'ai aucune envie d'aller m'affronter avec les autres, de perdre mon temps à des chocs. Je déteste les rapports de force. J'ai toujours détesté ça, que ce soit dans l'amour, dans l'amitié, ou dans le travail. Mon travail, vous voulez que nous parlions de mon travail ? Eh bien, disons que je fais un métier que j'aime beaucoup et que je commence à connaître assez bien. Dans certains cas même, je peux donner des conseils aux jeunes metteurs en scène avec lesquels je travaille. Je suis très perfectionniste. J'adore l'atmosphère des studios. Je connais les fils d'un film, ses ressorts, je connais les tensions d'un studio comme je connais les perfectionnements qu'on peut apporter à certaines scènes. Et si c'est possible, ou si c'est indispensable, ou si ça peut simplement être utile sans jeter le trouble, j'essaie d'y aider.

« Pour une actrice, voyez-vous, je considère que le plus important, c'est d'abord le choix de son scénario. Je fais très attention à l'histoire et au personnage que je vais interpréter. Je détesterais jouer un rôle que je ne sente pas, que je n'aime pas, que je n'imagine pas. En revanche, je ne rêve que sur des réalités, enfin sur des personnages que l'on me propose. Je n'ai jamais rêvé d'être Phèdre, Anna Karénine ou Madame Bovary. J'ignore pourquoi, mais mon imagination ne s'exerce qu'à partir de projets réels. Le théâtre, par exemple, le théâtre dont je sais bien qu'il est sûrement passionnant, terrifiant et merveilleux, le théâtre ne me serait pas possible. J'aurais bien trop peur de cette foule puisque, déjà, j'ai un peu peur des individus, au départ, que ce soit des fans, des badauds ou des journalistes. Je ne sais jamais s'ils sont vraiment là par sympathie ou par une sorte de curiosité cruelle. Ce n'est pas que j'aie peur de ce que l'on dira de moi dans les journaux : en fait je ne leur dis rien qu'ils puissent vraiment déformer. Au contraire, j'essaie plutôt de les faire parler, eux, ceux qui viennent m'interviewer. Je m'intéresse beaucoup à certains, à ce qu'ils disent quand ils sont un peu sensibles. Et puis c'est trop injuste après tout, c'est toujours le même qui pose des questions, toujours la même à laquelle on s'intéresse. Il n'y a pas de raison. Mon Dieu, je ne vous ai même pas offert à boire, c'est dramatique, vous ne voulez rien ?... Vous ne pouvez vraiment plus boire d'alcool du tout, c'est épouvantable ! Moi, de temps en temps, j'adore ça. Je bois deux, trois whiskies comme ça, pendant une semaine, dix jours, quinze jours, ça m'enlève ma timidité, ça me rend très gaie. Je trouve tout facile, agréable, léger. Je me sens sûre de moi. Enfin ! Cela dit, quand je dis que je bois, c'est un petit peu exagéré. Je m'arrête quand je veux et il y a des mois entiers où je ne bois pas une goutte d'alcool. Mais il y a des soirs, on ne sait pas pourquoi, grâce à lui, on parle, on s'amuse comme des fous. Moi-même, je ne sais pas raconter des histoires drôles, je ne suis pas ce qu'on appelle une comique mais j'adore rire. J'ai des amis avec lesquels nous rions interminablement pour des bêtises. Comme tout le monde d'ailleurs.

« En amitié, je tiens beaucoup à très peu. Je ne me soucie ni de ce qu'ils sont, ni de ce qu'ils font, ni de leur milieu social. Qu'ils soient célèbres est le dernier de mes soucis. Mes amis, je les estime et je les respecte. Mais, comment dire, je ne leur permets pas de se dévaloriser à mes yeux. Par exemple, dans votre cas, on dit que vous avez jeté l'argent par la fenêtre et très souvent à de faux amis. C'était peut-être de vrais amis, mais moi, je n'aurais pas pu faire ça. Je regrette que les rapports d'argent amènent des rapports de force. J'aime bien l'idée que l'amitié soit basée sur la gratuité. Si un ami avait un problème je l'aiderais mais j'aurais peur de déséquilibrer notre relation, d'installer un rapport de domination.

« Cela dit, l'argent je m'en moque. Il entre par une porte, il ressort par l'autre, tant pis ! Dieu merci, j'ai quelqu'un qui s'occupe de ma comptabilité, qui s'occupe de tout, mais je suis la vraie responsable et ça c'est tuant ; j'en ai tellement assez de m'occuper des comptes, des impôts, des choses, je trouve ça épuisant pour une femme, vraiment épouvantable, mais il faut le faire, donc je le fais. Quand je dis que je jette l'argent par la fenêtre, c'est faux, je veux dire par là que je ne peux pas résister parfois à certains élans. Par exemple, quand je vois un très bel objet, même s'il est ruineux, même si je n'en ai pas les moyens, eh bien, j'oublie complètement la valeur de l'argent et j'entre et je l'achète. Cet appartement est rempli d'objets que j'ai achetés comme ça, alors que je n'aurais pas dû le faire... Je suis bien d'accord avec vous, il ne faut pas se faire des ennuis à soi-même. On en a déjà assez qui viennent de l'extérieur. Et je ne compte pas ceux que je me forge moi-même, grâce toujours à cette culpabilité que je n'arrive pas à repousser.

« Enfin, il ne faut pas exagérer, j'ai l'air de parler d'une manière angoissée mais je suis quelqu'un de très heureux en général et j'essaie d'apprendre le goût du bonheur à mes enfants, c'est le plus important. Ça, et certaines lois, certaines règles de conduite. Par exemple, ces derniers temps, j'avais des rapports que je trouvais froids, lourds, faux avec mon fils que pourtant j'adore. Eh bien, j'ai pris la décision d'arrêter ce gâchis. Nous nous sommes séparés, il est allé de son côté, moi du mien, et je crois que c'était nécessaire, bien, et pour l'un et pour l'autre. Je ne supporte pas les situations fausses, les amitiés tronquées, les amours infidèles. J'aime les choses claires, nettes, surtout avec les enfants ; il est tellement important d'apprendre aux enfants le sens de la réciprocité. Il y a des hommes aussi qui l'ignorent, mais ceux-là, je les fuis, ceux-là sont trop dangereux. Je n'aime pas la tension chez moi. Il faut dire que c'est très fatigant, vous savez, de tourner. On est épuisé après, on a besoin de calme, de repos, de tranquillité, de solitude ; enfin cette solitude choisie par moi-même ne m'ennuie jamais. Il m'arrive de passer des heures la nuit et le jour, comme ça, à ne rien faire, à tramer, à regarder par la fenêtre, à perdre mon temps. Alors je feuillette des journaux, je lis quelquefois des livres mais pas souvent. J'adore regarder de vieilles revues, voir des photos d'avant, relire des vieux textes. Ça me distrait beaucoup.

« Si je n'avais pas été comédienne, je ne sais pas du tout ce que j'aurais pu faire. Je crois que j'aurais aimé être antiquaire. J'adore les objets, les beaux objets. J'adore retrouver un bois, un style, j'adore chiner...

« La politique ? De temps en temps, je m'engage. Par exemple, vous vous rappelez la loi sur l'avortement de Simone Veil. J'avais signé un papier comme quoi je m'étais fait avorter illégalement. Vous aussi d'ailleurs, je crois. C'était un sujet privé, mais une loi importante. Mais je ne veux pas prendre position pour quelqu'un, c'est une exploitation de la popularité que je trouve malsaine.

« Je crois quand même qu'il y a des choses dont on ne se remet pas ou très mal, certaines morts, par exemple, dont on n'arrive pas à se libérer. Mais parlons d'autre chose, il y a tellement de choses merveilleuses dans l'existence. On est bien d'accord. Il fait beau, il fait doux, il fait bleu, Paris est si beau... Comment j'aimerais que soit écrit votre article ? Je ne sais pas, pourquoi ? Quelle drôle d'idée, quelle drôle de question ! Mais non je ne tiens pas à le relire, je vous fais confiance. Si vous y tenez, je le relirai, c'est comme vous voulez. Je n'aime pas contrarier les gens. Eh bien, cet article, je ne sais pas, je voudrais un peu qu'il soit comme un conte de fées, qu'il y ait quelque chose de magique, d'optimiste qui me rassure, que ce soit comme une espèce de promesse de bonheur. Quelque chose qui, le matin, quand je me réveille, me donne confiance en moi. C'est bête, n'est-ce pas ? C'est très difficile de dire ça à quelqu'un qu'on ne connaît pas, qu'on a vu quelques heures et qui doit imaginer, sans mentir, des choses sur vous. Mais je crois que c'est bien ça. »

Là elle s'arrêta. Et j'aurais pu en faire autant. Si, en relisant cet article, je n'avais pas soudain compris sa manœuvre et l'origine de ce faux secret qui l'auréole. Je vis soudain que j'avais passé plus de temps à expliquer qu'elle n'était pas ceci qu'à affirmer qu'elle était cela.

J'ai écrit par exemple qu'elle n'était pas prétentieuse mais je ne sais pas si elle est modeste. Qu'elle n'était pas froide, mais je ne sais pas si elle est passionnée. Qu'elle n'était pas faible mais je ne sais pas si elle est forte. D'ailleurs, je ne crois pas qu'elle soit forte, je crois que c'est une femme fragile, courageuse et effrayée et qui a plus peur d'elle-même que de n'importe qui. Il me paraît presque évident que l'on ne peut afficher cette sérénité, cet équilibre et cette sorte de détachement amical sans avoir peur. Et si Catherine Deneuve m'a dit cent fois : « Je ne suis pas ceci ou je ne suis pas cela », c'est parce qu'elle ne se sentait ni la force ni l'envie de dire : « Je suis ceci, je suis cela. » Et peut-être, en effet, faut-il de l'innocence et de la naïveté et presque une forme de bêtise pour affirmer : « Je suis ceci, je suis cela » et peut-être en effet aussi ce sentiment d'innocence, quelqu'un ou quelque chose le lui a-t-il fait perdre pour qu'elle n'ose pas parler d'elle autrement que dans une forme interro-négative. Et pourtant, blonde, belle, éclatante et séduisante comme elle l'est, sensible aussi, et n'ayant « que l'on sache » jamais fait de mal à personne (et l'on sait vite à Paris dans ce milieu), et pourtant aimée par des hommes, aimant ses enfants et aimée du public, qui, plus que Catherine Deneuve, pourrait prétendre impunément qu'elle existe telle qu'elle est ? Je l'ignore et peut-être cela est-il le meilleur et le pire de son charme que cette lueur mate qui parfois surgit du châtain de ses yeux, s'affole et laisse deviner une fêlure dans toute cette blondeur.

JOSEPH LOSEY

Ce mois-ci, Joseph Losey. Hommage du Festival de Cannes, le 19 mai.

Il est extrêmement difficile de solliciter, de quelqu'un que l'on admire, la « matière » d'une interview. La matière d'un homme, c'est les os, le sang, les nerfs, c'est-à-dire la solidité, le désir et la folie. Et dans le cas d'un créateur, c'est aussi la solitude. Tout est à la fois donné, évité et compris. Surtout si l'interviewé est Joseph Losey.

Pour commencer, je chanterai les louanges de Losey, et je crains de ne pas changer de ton d'ici la fin de l'article. D'abord, c'est lui qui a fait *Eva, The Servant, Le Messager, Cérémonie secrète,* et tant et tant de films dont le seul nom vous dérange un peu. Ensuite parce que, à l'époque de Mac Carthy, il fut, parmi les 450 figurants célèbres et traqués par les sorcières d'Hollywood, l'un des 19 qui dès l'abord refusa de se commettre avec les sorcières en question. Il avait le choix entre la délation ou bien l'exil, l'abandon de lui-même ou la haine des voisins. Il choisit de partir. Rude courage que de s'arracher pour un principe à une enfance, une éducation, la considération générale, un métier, un living-room au soleil, un pays, l'amour de ce pays, et plus que tout, à la supplication muette et tendre de ses proches. Pas un homme n'aime voir son enfant insulté à l'école sans pouvoir lui expliquer pourquoi.

C'était la seconde blessure que la société infligeait à Joseph Losey, qui était, à ce moment-là, sûr de son pouvoir. Sa famille était, comme il le disait plaisamment, une famille de pionniers, une des vieilles familles de l'Amérique. Une de ses grand-mères, Winchester au poing, combattit les Indiens, comme dans certains films, et son grand-père avait tout bonnement fait fortune, comme dans d'autres films. Et son père était un jeune homme brillant et diplômé, un bon parti. Et sa mère, qui était fort séduisante, épousa, entre mille autres raisons, ce beau parti pour se retrouver confrontée, à la suite d'un testament, à une triste réalité. C'était l'autre branche de la famille qui héritait, celle qui était, elle, vraiment à l'aise. (Si l'on a vu *Le Messager*, on peut comprendre un petit peu mieux les sentiments du jeune Losey.)

À 45 ans, le père de Joseph Losey, fatigué de ne pas savoir vivre, meurt. Sa femme travaille, fait ce qu'il faut, et se met un peu à boire pour se consoler. Joseph Losey, qui ne sait rien de la vie, j'imagine, sinon que ses cousins sont plus riches que lui, que leur mère est plus épanouie que la sienne, et que son père est mort d'une maladie proche de la neurasthénie, Joseph Losey à 16 ans, excédé, s'enfuit. Excédé par trop ou par manque d'affection, excédé déjà de ce trop de différence sociale, de « standing » (ce qui veut dire, en anglais, se tenir debout).

Aucun regard ne doit pouvoir être plus lourd que celui d'un adolescent en visite chez son oncle, dans une Amérique consacrée au Veau d'or; un adolescent qui compare, qui jauge deux cabriolets, deux menus ou deux couples. Il s'enfuit donc, part pour l'université, et pour la payer, comme dans la chanson de Fats Waller, *he feeds the fishes and he washes the dishes.*

Après cela, il y eut mille orages et quatre femmes, dont la dernière déborde de charme depuis onze ans. On peut même craindre que ce Barbe-Bleue ne soit plus Barbe-Bleue. Il est grand, beau, l'œil bleu, la bouche pleine, avec des gestes délibérément ralentis et des regards naturellement rapides. Quand il parle, il est vif, il est rudement vif même. À tel point que son intelligence ne laisse pas supposer la moindre éventualité de gâtisme intellectuel. Et pourtant, l'intelligence, il en parle tendrement mais comme d'une plaie, une plaie mal soignée et une plaie à jamais ouverte. Car je crois qu'il donnerait sa chemise à tous, mais pas à lui-même. Malgré tous ses succès et ses exigences, il se méfie plus de lui que des « autres ». Ce qui est à mon sens le signe le plus positif et le plus vertigineux du talent. Comme il le dit lui-même, il n'y a rien d'autre à faire sinon être talentueux, et parfois se le prouver et parfois se tromper, et là se l'avouer.

Aldous Huxley, dans *Point Counter Point*, avait écrit une phrase qui m'avait snobée et que je n'avais jamais pu appliquer à personne avant de rencontrer Joseph Losey : « Il était si intelligent qu'il en devenait presque humain. » C'est fait, à présent.

Humain, bien sûr, puisqu'il est inconfortable, et que cet inconfort est la source et l'obsession de toutes ses œuvres. Cela revient bêtement à dire qu'il est un homme profondément « de gauche » avec des moyens de riche bourgeois. Et que l'idée que 99 % des gens vivent comme des chiens le dérange plus que c'est habituel dans son milieu. Il aime vivre bien. C'est-à-dire, libre, dans un certain espace, et un certain silence. Si on lui représente qu'il travaille parfois dix-huit heures sur vingt-quatre pendant des mois, qu'il nourrit une douzaine d'enfants, il vous rétorque tout à fait honnêtement que son travail le passionne, qu'il ne fait que ce qu'il a envie de faire, et qu'il n'y a pas une personne sur mille qui ait cette chance. Comme tous les créateurs, il peut baiser le sol s'il en a envie, jeter son portefeuille par la fenêtre et cracher par terre ou vers le ciel ou au visage de quelqu'un qui l'insulterait. Il se sait privilégié et, par moments, et depuis toujours, cela lui est sincèrement odieux. En fait, il ne sait rien, il ne sait pas, il ne sait pas plus que n'importe qui de bonne volonté, de très intelligent et de vulnérable. Mais vulnérable, il l'est. Et étant donné sa façon d'être, son physique et ce qu'il dit, je connais peu de femmes qui n'auraient pas envie de le soigner s'il était un jour blessé, ou même, et là c'est le plus grand compliment que l'on puisse faire, je connais peu de femmes qui n'auraient pas envie de le blesser afin de le soigner plus tard.

Tous ses films dont je ne parle pas je les ai tous vus, admirés ou aimés parfois les deux, parfois séparément. Mais bizarrement, avec quelqu'un qui « crée », c'est pratiquement le seul sujet tabou, car la seule réponse est donnée par le film. Il n'y a pas de commentaires.

Dans la vie de Joseph Losey, il y a une autre histoire. Sa mère, qui buvait trop car elle avait vu partir la réussite sociale aux orties, son mari vers la mort et son fils vers son destin, sa mère, elle était partie vers des bouteilles et des nuages dans ce Wisconsin où elle vivait. Ni les pasteurs ni les voisines ne pouvaient la « raisonner ». C'est alors que son fils, Joseph Losey, âgé de vingt-deux ans, et qui triomphait déjà à New York à cause d'une pièce à la fois écrite et montée par lui, se crut, avec la folie, la cruauté et l'intolérance de la jeunesse, le droit de lui écrire une lettre très très sévère, à laquelle elle ne répondit pas. Simplement avant de mourir, trente ans plus tard, elle lui laissa, en seul legs, une enveloppe scellée. La lettre du jeune homme digne à sa mère indigne était là, et sans commentaires.

Mais je crois que de toute façon, avec ou sans cette lettre, Joseph Losey aurait appris la tolérance très tôt. Et la tolérance, et l'indulgence, et la bonté pure. Il me suffit de penser au regard de cet homme réservé, secret, me demandant d'un air soucieux, il y a quelques jours, si j'avais de quoi « faire mon interview ».

JAMES COBURN

Françoise Sagan aime les gens, les rencontres, les beaux visages. Elle aime les autres. Elle ne les juge pas : ce qu'elle aime, c'est la vérité.

Attention aux rêveuses, voici un nouveau séducteur. Son nom est James Coburn. Il a joué dans *Les Sept Mercenaires, Une charade, Il était une fois dans l'Ouest, Our Man Flint, Harry In Your Pocket*, etc. Il a l'air d'un poète irlandais quand il joue de la flûte ou d'un joueur désabusé quand il s'assied sur une plage; il a l'air de rien, il a l'air de tout, il a l'air tout simplement d'un être humain.

Actuellement, il somnole à Nice, à Mougins plus exactement, il attend que le dernier film de Terence Young *(Jackpot)* se termine. Il attend dans un vieux moulin médiéval qui lui plaît (aussi bien en tant qu'Américain qu'en tant qu'amoureux du silence), et il attend paisiblement.

Beau, de belles mains, aimé des gens de cet hôtel et un peu lointain vis-à-vis des studios, il traîne 1,85 m de longueur de son balcon à sa voiture, des studios à sa chambre. Il a des cheveux noirs et gris et des yeux bleu pâle. C'est un homme visiblement très fort mais qui hait la violence, un homme très viril et donc des plus polis, un comédien, et là, silence, chapeau et surprise, un homme sincère.

Il est très difficile de faire le portrait d'un séducteur, car ou il ne vous séduit pas et l'on s'ennuie, ou il vous séduit et on cherche à le séduire aussi, c'est-à-dire à partager ensemble des vues générales sur les choses séduisantes : le sable, la mer, les soleils couchants et les voitures rapides, l'alcool et la gaieté. Et aussi les admirations. Je sais que James Coburn admire Orson Welles et Stravinski, par exemple. Je sais aussi qu'il est très bien élevé, très rapide – ce fut un grand ami de Bruce Lee – qu'il se déplace très très bien et qu'il a une belle voix basse. Je sais aussi – mais ça ce n'est pas par lui –, qu'il a commencé sa carrière à 25 ans et qu'il voulait être dans ce métier depuis l'âge de 13 ans. Je sais qu'il a commencé alors avec Jack Nicholson et Jeff Corey, et que son premier succès, son premier triomphe, lui fut octroyé par les chargés de presse de la maison Remington lorsqu'il parvint à raser en deux minutes, grâce à leur rasoir, une barbe qu'ils lui avaient commandée depuis onze jours. C'est ainsi qu'il devint Monsieur Remington.

C'est un homme épris, épris de son métier d'abord. « Si je ne travaillais pas… Si mes vacances étaient autre chose qu'un intervalle entre deux rôles… » et là, il perd son visage d'homme-chat tranquille et il devient hagard, efflanqué, dangereux. Épris de sa femme ensuite : « Ne pas partager c'est ne pas vivre. » S'il ne croit qu'en lui-même pour se préserver et se continuer, il ne croit en revanche qu'aux êtres humains et à une femme, une seule, pour l'aimer et s'aimer lui-même, pour être autre chose. Bien sûr, il est seul ce soir, à Mougins, et parfois six mois sur douze, mais il sait pourquoi : « Elle » l'attend là-bas, à Beverly Hills, dans une maison qui date de 1932, avec deux enfants beaucoup plus jeunes que la maison et qu'il adore.

Épris de son autonomie ensuite : « Ne pas être seul parfois c'est mourir. » Et là on sent bien qu'il le pense, que sa solitude, ce besoin de silence, de tranquillité, n'est ni un refus ni une sauvegarde, ni une névrose quelconque, mais bien plutôt une sorte d'instinct animal et plus que rarissime chez un comédien, l'instinct de regarder passer le temps.

Voilà donc un étranger tranquille, équilibré, poli, séduisant, fou peut-être, mais ne le niant pas ni ne le suggérant. Difficile donc à « questionner » bien plus qu'à photographier.

Pour faire les photos, on descend sur la plage de Cannes. Il est six heures du soir. La mer est grise et rouge. On lui a mis un smoking. On grelotte tous un peu. Entre-temps, on parle fébrilement, distraitement de Dieu, de l'amour, de la vie, on jette nos mégots sur cette plage sale et déserte, on plaisante. Car le Martien, le séducteur, l'homme tranquille aime rire. Il a un de ces grands rires vraiment américains, pour une fois, tout à fait ouvert, et il se moque de lui-même. Il dit : « Vous savez, un moment, j'ai cru au succès. C'était après *Our Man Flint*, un beau succès pour moi, j'ai cru que ça y était. J'ai fait l'ours, j'ai dansé sur mes pattes dans la lumière des spots, et puis j'ai eu un crash, je n'ai plus rien compris à moi-même. Je ne savais plus d'ailleurs ce que c'était, ce «ça» qui y était. Je me savais perdu, dépendant de tout le monde, dépendant des regards. J'ai mis quatre ans à m'en remettre, à redevenir un être humain. »

– « Un être humain, c'est quoi à vos yeux ? » je demande.

Devant cette question stupide, le grand chat gris se retourne, me prend le bras et se met à rire. Moi aussi.

La mer est devenue presque noire, on remonte en voiture, on repart pour Mougins. Il conduit très bien.

– « C'est drôle, dit-il sur l'autoroute bondée, ici c'est l'enfer et dans cinq kilomètres, on sera au paradis, au moulin. »

Arrivés au moulin, il se change, met un chandail, prend sa flûte, une immense flûte argentée sur laquelle il joue, paraît-il, des soirs entiers au bord du ruisseau.

– « Je ne sais pas bien jouer, dit-il. Quelquefois, j'arrive à suivre un disque. De toute façon, j'adore le son de cette flûte. Elle me garde éveillé et en fait, pour moi, la vie c'est de rester éveillé. »

Il sursaute d'avoir dit une chose si sérieuse, il rougirait presque, et, de ses grandes mains, pose la flûte et attrape un cigare. Il sourit et se secoue.

– « En dehors de ça, dit-il, je fume des Rio Grande du Brésil et je n'aime que les vins blancs très secs. »

Je souris à mon tour. La discussion est close. Il n'a pas d'autres anecdotes comme il n'y a pas de simulacre sur le beau visage de cet homme de 45 ans. James Coburn a le naturel, donc l'interrogation.

Et le charme, bien sûr, dois-je l'ajouter ?

FEDERICO FELLINI
LE TSAR ITALIEN

Je pris le train du soir, le Paris-Rome, le « Palatino », pour aller voir Fellini tourner à Cinecittà. Je n'avais pas envie d'avions ni de leurs altitudes inhumaines pour cette rencontre. Il me semblait au contraire qu'il valait mieux rester au sol et suivre la douce courbure de la Terre pour retrouver cet homme né de notre planète, sorti de sa glaise et sensible à sa rotation – qu'il s'en sentît selon les jours le seigneur ou l'esclave…

Ses phantasmes et sa nature, me semblait-il, ne le projetaient pas comme d'autres vers l'immatériel, vers l'espace et vers l'absurde mais au contraire l'enfonçaient, le tiraient par les pieds vers le centre, le noyau même de cette terre. « Notre boue a des douceurs, notre humaine et tendre boue », disait Cocteau, et il me semblait que Fellini, à travers les débauches tristes et baroques, les crudités fatiguées de ses films, en avait lui suffisamment souligné la certitude.

Mais dans ce début de voyage, les secousses et les grincements de ce vieux train somptueusement et fallacieusement nommé le « Palatino », ce n'était pas Cocteau, mais le lointain Joachim du Bellay qui me tenait éveillée – cherchant en vain à compléter quelques-uns de ses vers psalmodiés à l'école, il y a belle lurette : « rien ni... ni... ni... le petit Palatin... rien ne vaudra pour moi la douceur angevine ». Poème fort chauvin, ânonné donc dans la période bienheureuse de l'adolescence et demi-oublié, semblait-il, dans les périodes bienheureuses qui suivirent celle-ci. Je suppliai puis suppliciai ma mémoire mais en vain. Au réveil, je n'avais toujours que le petit Palatin à opposer à la douceur angevine mais en revanche, c'était une campagne de vignes, une campagne plate que sanglait la mer, qui filait derrière ma fenêtre. C'était une campagne ostensiblement italienne et c'était celle de Fellini, je ne sais pas pourquoi. Car s'il y a dans ma mémoire visuelle une campagne Visconti, une campagne Antonioni, une Bolognini, etc., il n'y a pas en revanche de campagne Fellini. Celle-ci, sous mes yeux, n'était pas si belle au demeurant. C'était une plaine triste piquée de maisons délabrées et pauvres, une plaine sans charme. Mais si le talus que bordaient les rails était fané, de l'autre côté c'était la bleue, la somptueuse Méditerranée qui s'y roulait. Et dans cette opposition se glissait ce mélange d'entente et d'ironie, de complicité et de sévérité qui me semblait être le rapport même de Fellini avec son Italie.

En arrivant, après avoir loué un engin motorisé et fait trois fois le tour de Rome, je me retrouvai devant le portail de Cinecittà, le Saint des Saints. J'y arrivai curieusement émue car c'était pour moi un endroit mythique, et qui l'est toujours d'ailleurs, grâce au Maestro et son fameux studio 5.

Cinecittà, pour ceux qui l'ignorent, est une grande prairie cernée de murs et dont l'herbe usée est striée par quatre routes défoncées, au bout desquelles se trouvent des hangars nommés studios, style Hollywood mais sans l'ordre hollywoodien. On monte et on descend ces routes sur tous les engins possibles, de préférence pétaradants. Le tout est bien sûr sévèrement gardé par un cerbère auquel mon sensible accompagnateur dut hurler mon nom et ma profession pendant quelques minutes, à ma grande confusion : « la Sagan, la Sagan », criait-il pendant que je me blottissais derrière mon volant. Enfin on nous libéra et nous filâmes dans le studio, l'antre, le repaire, le fief du « Maestro ».

J'avais connu Fellini quinze ans plus tôt à Paris pendant une soirée chez moi où le hasard et un ami les avaient amenés, sa femme et lui. Je me le rappelais confusément comme un grand et gros personnage qui n'avait pas quitté son manteau de la soirée et se taisait aimablement pendant que sa femme exquise chantait à tue-tête *La Vie en rose* avec quelques amis à moi musiciens. Mais c'était dans un autre appartement, dans une autre vie et c'était un autre individu aussi, que j'avais rencontré. À Cinecittà, je vis un homme de loin d'abord, grand avec des épaules larges, mince, vêtu de noir et avec sur la tête un chapeau qui n'était pas un folklore ni une passion mais un chapeau accessoire, qu'il enlevait ou qu'il gardait, comme une femme peut se servir d'un foulard. Sur ce corps américain était posée en revanche une tête parfaitement italienne, une tête de César, avec des cheveux et des yeux bruns, un nez droit et un menton carré. Et ce n'était pas un César indolent. Il n'y avait rien de mou dans la mâchoire, dans le dessin de la bouche, ni dans le regard : c'était au contraire un visage plutôt passionné me semblat-il, passionné et par moments adouci d'une distraction qui se voyait à un battement de cils, à un regard détourné. Mais il répondait avec précision à tout ce qu'on lui demandait et Dieu sait qu'on demande des choses à un metteur en scène, pendant un tournage ! Imaginez cela multiplié par dix pour un Fellini, qui a six assistants excités de tourner pour lui et cinq cents figurants délirant de joie de figurer pour lui. Ce qui fait une jolie pagaille, pagaille chaleureuse et bizarre, typiquement fellinienne. Car dès l'instant que j'avais mis le pied sur ce tournage, j'avais été entourée d'êtres humains, d'objets, d'un oxygène et d'une herbe fellinienne : grosses femmes habillées de rouge, visages comiques ou tendres, comportements saugrenus, décor râpé, caméra elle-même fantomatique, tout cela baignait dans la constellation du Maestro.

Pourtant, c'était la réalité pure qu'il tournait ces jours-là : un téléfilm d'une heure le montrant aux prises avec quatre Japonais journalistes, un téléfilm qui s'appellerait *L'Intervista* et où on le verrait dans ses œuvres ou, plutôt, dans les œuvres des journalistes. Sujet réel donc mais la réalité de ce décor et de ce Cinecittà, qui après tout appartenait à tous les autres metteurs en scène de Rome, n'était étiquetée que de son nom, impression que renforçaient ses figurants, fascinés par lui ou attirés ou effrayés mais toujours glissant, rôdant, se plaçant devant ou derrière le Maestro. C'était l'empereur, le roi, le tyran et surtout, semblait-il aussi, l'ami de chacun et le tsar de tous. Ajoutons à cela que tournant Fellini en train de tourner, on ne savait plus, quand un homme criait dans un porte-voix : « *Silenzio* », si c'était l'assistant, le vrai, qui demandait le silence ou un figurant qui jouait l'assistant demandant le silence. Le délire et la gaieté régnaient, la tension aussi car tout le monde semblait vraiment concerné quand la caméra tournait. Tous ces sentiments qui flottaient dans l'air me gagnaient peu à peu et me maintinrent derrière l'arbre où je me cachais gênée, gênée de regarder travailler quelqu'un en pleine imagination, chose qui me semblait une indiscrétion effrayante. Que ferais-je, me disais-je, si Fellini venait s'asseoir dans mon fauteuil en face de moi à la maison pendant que je remplissais mes petits cahiers. Et je le regardai pendant dix minutes, déambuler, réfléchir, rire, donner des conseils et des ordres, jusqu'à ce que l'on nous présentât l'un à l'autre et qu'il m'accordât avec une gentillesse amusée la liberté de me promener sur son plateau à mon gré.

Je dois dire, outre ce portrait rapide, qu'il y avait longtemps que je n'avais vu un homme aussi séduisant et un créateur aussi débonnaire. Tant et si bien que mes questions journalistiques, si je les avais préparées, seraient tombées d'elles-mêmes dans le comique ou, pire, dans la lassitude qu'engendrent chez deux esprits un peu légers les idées générales. Nous ne parlerions que de détails, mais les détails, on le sait, sont parfois, non pas plus révélateurs, ce qui est un terme de police, sont parfois plus passionnants que les lieux communs les plus sérieux.

Ce jour-là, on attendait quelque chose ou quelqu'un qui avait eu des ennuis de voiture, qui devait jouer le soir sa représentation habituelle et qui aurait peut-être le temps ou pas de tenir son rôle devant la caméra du Maître. La phrase : « Est-ce qu'ils arrivent ? – sont-ils partis ? – les a-t-on retrouvés ? », était celle que l'on entendait le plus et je commençais à me poser des questions sur ces trois figurants débordés, éreintés, trop sollicités, malchanceux de plus en voiture, lorsque j'appris qu'il s'agissait de trois éléphants, effectivement pensionnaires d'un cirque qu'ils devaient rejoindre après un crochet devant notre caméra. Or ils avaient disparu sur la route. Et je voyais les figurants, les assistants, ou les figurants jouant les assistants jeter vers le Maître des yeux à la fois inquiets mais confiants. Car avec le Maestro, on ne restait jamais en rade. Il pouvait improviser n'importe quand, n'importe où. Il remplaçait n'importe quelle scène au pied levé par une autre. Ce qu'il prouva en décidant de faire arriver Fellini, jeune homme, à Cinecittà à l'âge de dix-neuf ans, quelques lustres plus tôt. Et je vis arriver en effet un jeune homme qui me prouva que Fellini n'avait pas pour son adolescence la complaisance et l'attendrissement que lui portent généralement les quadragénaires, romains ou pas.

Le jeune Fellini était un long jeune homme brun, assez gentil garçon mais doté d'un bouton énorme sur le bout du nez qui l'attristait visiblement beaucoup, ce que je trouvais tout à fait normal. Il était fort désagréable, pour trois jours de tournage, d'être défiguré de la sorte. Il me fallut quelque temps pour apprendre que ce bouton n'était que provisoire, surajouté, qu'il était une exigence de Fellini lui-même et que dès six heures, cet adolescent allait abandonner son acné dans sa loge pour retrouver sa bien-aimée avec un visage lisse. Lui-même semblait trouver ce défaut tout à fait superfétatoire. Seulement voilà, les mœurs étaient moins libres il y a vingt-cinq ans ou trente ans. Lorsque Fellini était un jeune homme pubère, les filles étaient moins faciles ou les femmes moins affamées. Bref, les jeunes gens avaient des boutons de temps en temps. Et parmi eux il y avait eu un jour, le jour où il s'était présenté à Cinecittà, justement, le jeune Federico Fellini. Décidément, avec ce bouton et son complet noir étriqué, ce jeune homme n'avait rien à voir avec les superbes adolescents de *Satyricon*. Fellini n'était pas un homme à confondre son idée d'adolescence avec la sienne.

C'était un créateur et j'avoue que je m'en réjouissais en pensant à certains des nôtres. Il n'y a plus beaucoup de gens d'imagination, hélas, qui sachent distinguer leurs mythes de leurs vies privées, qui sachent distinguer leurs fantasmes de leurs souvenirs. La jeunesse, pour eux, c'est eux-mêmes jeunes. L'amour, c'est eux-mêmes amoureux. Et c'est pourquoi on voit souvent tant de films si désespérément anonymes avec des héros si terriblement quotidiens et si désespérément banals dans lesquels nous sommes censés nous retrouver et qui n'ont rien de commun avec nous sinon de n'être pas exemplaires. Autrement tout nous en sépare. Fellini savait cela : qu'il y a autant de différence entre deux quotidiens qu'entre un quotidien et l'exemplaire.

Vers midi et demi, Fellini décida qu'il était l'heure de déjeuner et tout le monde eut faim. Nous nous retrouvâmes dans une auberge en pleine campagne, dix à une table croquant gaiement des olives. C'est alors que se rappelant l'urgence de cette interview, il envoya tout son petit monde, son épouse comprise, à d'autres tables, devant moi, morte de honte. Chaque invité déjà assis ayant même commandé son menu se leva avec l'air débonnaire, pour nous laisser en tête à tête. Enfin à trois têtes puisque nantis d'une traductrice qui devait accommoder mon italien exécrable et le français plus que convenable de Fellini. En plus de son charme naturel, je dois avouer que cette traductrice me parut miraculeuse car j'aurais très bien pu rester assise à cette table à manger du jambon et à regarder le ciel sans rien dire, parfaitement à l'aise. Fellini était un homme auquel je n'avais pas besoin de parler pour me sentir en compagnie, en sa compagnie. Nous en vînmes ainsi à parler de tout et de rien, de la chaleur, de l'été indien qui planait sur Rome, des gens, des relations entre les gens. Il était évident qu'il trouvait la vie et son métier passionnants, beaucoup plus passionnants en tout cas que son personnage. Et que lui opposer ? Nous étions des personnes amusées, intéressées par les mêmes choses, toutes deux dépendant du public, toutes deux dépendant de notre propre imagination, de ses sursauts, de ses fatigues, toutes deux passionnées par ce que l'on appelait notre métier qui n'est qu'une folie. Une folie qui par bonheur touchait les gens qui nous voyaient ou nous lisaient, mais bonheur qui nous imposait en même temps un personnage public dont nous étions évidemment un peu lassés.

Je lui demandai la raison de tous ces figurants et il m'expliqua que pour chacun de ses rôles, de ses seconds rôles, il faisait venir des dizaines de figurants, que chacun d'eux lui paraissait avoir un visage supérieur, plus intéressant ou plus vivant que son rôle et qu'il était obligé ainsi d'en multiplier le nombre. Je lui parlai du jeune homme qui le représentait, enfin qui le relayait, et il me dit que la jeunesse lui paraissait à plaindre car l'amour sans le goût du péché devait être une chose sinistre. D'ailleurs, me dit-il et il se mit à rire, quand il était petit il était dans une école où les professeurs étaient complètement fous, *pazzo* ; l'un d'eux avait l'habitude le lundi matin, quand les petits garçons rentraient, de les mettre debout devant lui et de leur demander sur le même ton et à la même vitesse : « Au nom du Père, du Fils et du Saint-Esprit, combien de fois t'es-tu touché depuis deux jours ? »

Les petits garçons, naturellement, criaient : « Jamais ! jamais ! » jusqu'au jour où le professeur eut l'idée géniale de dire : « Comment, jamais ! Celui qui avouera sortira un quart d'heure plus tôt que les autres. » Le lundi suivant : « Au nom du Père, du Fils et du Saint-Esprit, combien de fois t'es-tu touché ce week-end ? – Huit fois ! dix fois ! quatre fois ! », hurlèrent les enfants enchantés à l'idée de sécher quelques cours. Ce professeur était fou, conclut Fellini enchanté.

C'était d'ailleurs un homme qu'il était étrange d'entendre parler à l'imparfait. Fellini a toujours été pour moi un oracle. Tous ses films sont sortis comme pour souligner le problème ou l'obsession de l'instant, de l'époque. Or, comme on le sait, trois ans séparent l'idée d'un film de sa projection. Et Fellini, à chaque fois, avait été non pas le chroniqueur de son siècle, mais son prophète. Mais de cela je ne lui parlai pas car ce n'était pas un homme à compliments. Il les aurait secoués comme le taureau secoue les banderilles gênantes, pointues, pas graves, mais gênantes. Qu'aurait-il dit si je lui avais assené le reste de mes louanges, c'est-à-dire qu'il était un des rares metteurs en scène complets de notre époque ? Le cinéma actuel, me semble-t-il, appartient à trois races de réalisateurs : ceux qui veulent illustrer un thème par des personnages assommants et ennuyeux et qui finissent par discréditer ce thème. Ceux qui au contraire, ne voulant raconter qu'une histoire, ne nous laissent dans la tête qu'une intrigue sans écho. Et ceux enfin qui disposent d'un thème et de personnages également forts et savent les fondre dans un chef-d'œuvre. Fellini était un de ces rares derniers. Non, ce dont je pouvais lui parler, c'était au maximum du goût du vin, de l'odeur de la terre, de la musique.

Au bout d'une heure ou d'une heure et demie, il parut se rappeler soudain qu'il était un metteur en scène et qu'une troupe piaffait en l'attendant. Et il disparut dans sa voiture vers le plateau où je le rejoignis un peu plus tard. Les éléphants n'étaient toujours pas arrivés et s'ils avaient été tout près, leurs barrissements auraient été audibles, j'imagine. Fellini devrait donc renoncer pour de bon à leur présence, à ces notes de couleur ahurissantes qu'il devait simplement et luxueusement faire passer dans son champ comme un symbole de Cinecittà et de ses folies. Il changea son fusil d'épaule et ses éléphants pour une mariée. C'est ainsi que je vis une jeune femme vêtue de blanc et suivie d'un bel homme descendre l'allée de Cinecittà à l'encontre d'un vent jeté par une soufflerie violente qui leur lançait à la tête, à elle et à l'homme, des flots, des vagues de confettis de toutes les couleurs qui giflaient ces mariés marchant vers un avenir que l'on devinait désespéré. Elle avait les yeux pleins de larmes, les confettis la frappaient, elle serrait les dents et sous le soleil et sur ces prairies, cela avait un effet extravagant. Et cruel. Oui, cette belle jeune femme noyée de confettis et de larmes, cette jeune femme dans sa belle robe blanche, était un spectacle des plus cruels. Et pourtant, pourtant il m'avait parlé des femmes aussi à table comme d'un merveilleux cadeau : la chose la plus fascinante et la plus indispensable à l'homme qui ait jamais existé. Il avait dit ça sérieusement. Il ne prenait pas ce petit air sournois, graveleux ou sinistre, ce petit air protestant des uns ou des autres. Il l'avait dit avec cet air d'évidence, de bonheur et presque de gratitude pour le démon fou, le démon intelligent qui avait créé la femme, les femmes. Il en parlait avec sensualité, envie, mais aussi avec une sorte de considération tout à fait ébouriffante pour une créature qui avait passé sa vie chez les Gaulois.

J'allai lui dire au revoir. J'embrassai son épouse avec toute la jalousie qu'elle peut inspirer et toute l'amitié qu'elle inspire aussi, et lui me serra dans ses bras avec cette espèce d'affection virile qu'ont certains hommes pour les femmes. Je me retournai sur le seuil de Cinecittà. Je le vis debout, grand, sombre et beau, l'air étonnamment jeune, l'air vraiment d'un conquérant.

Maintenant, maintenant, que ce refus total de tout système, que cette liberté d'esprit, que cette chaleur, cette nonchalance du geste et cette rapidité du dialogue, que cette carrure et tout ce charme cachent un homme horrifié par la mort, en proie à d'affreuses angoisses, au doute de soi-même et à la peur de vivre, je ne jurerais pas le contraire. Mais qui peut jurer le contraire de quiconque, ou d'ailleurs de lui-même ? Le principal en société n'est-il pas l'enveloppe ? Or l'enveloppe fellinienne est la plus brillante et la mieux refermée sur ces distorsions, sur ces sursauts de l'âme que ne peuvent pas éviter la nuit, le jour, les passagers provisoires de cette planète, ces invités, ces bannis à la fois que nous sommes tous, avec plus ou moins de lucidité et de grâce. De lucidité pour s'en rendre compte et de grâce pour l'oublier, ou pour faire semblant. Disons que Fellini l'oublie admirablement bien. Et le fait qu'il ait eu apparemment une enfance, une carrière et une vie privée heureuses, n'enlève rien à son mérite. Tout cela n'a jamais suffi à faire d'un homme un gentleman. Et Fellini en est un.

GÉRARD DEPARDIEU

En le voyant arriver les gens disent volontiers : « Voilà un homme qui a la tête sur les épaules. » Ce corps robuste, éloquent, supporte une tête coiffée, ou décoiffée, de mèches, de copeaux, d'herbes, plus propres à l'adolescence, un visage dont tout, la peau, les angles, les traits et les ombres ne font qu'accentuer un regard superbe, si humain qu'il en devient animal : un de ces animaux prédateurs et vulnérables que l'on s'obstine en vain à apprivoiser. Un visage qui vit dans le présent, oublieux du passé, insoucieux de l'avenir et que la vie exaspère ou comble, selon.

Je le connais depuis peu. Je ne l'ai pas vu arriver sur les plateaux du succès mais j'ai admiré de loin qu'il en évite si instinctivement les trappes. Je ne sais pas quand ce jeune homme rencontra son image, et je le comprends trop bien d'avoir aussitôt et aussi intelligemment bondi derrière elle, d'avoir mis à l'abri ainsi son être, son âme, ce je ne sais quoi que l'on sait être soi, qu'on ne peut ni nommer, ni reconnaître, mais dont l'oubli et la disparition défigureraient nos miroirs. Bref, je n'aurais pas cru qu'un homme si jeune, aussi intelligent fût-il, puisse se dissimuler derrière son propre naturel. Ce naturel qui fait accepter ces excès et ces folies et ces quelques entorses à la « légalité » actuelle comme les éclats d'une vigueur irresponsable. Il ne choque pas. On l'aime.

J'ai toujours apprécié chez Depardieu tout autant que ses mépris, son besoin d'admirer. Je l'ai vu fasciné et docile se plier, jeune complice, aux ubiquités de Marguerite Duras qu'il admirait avec raison bien avant *L'Amant*. Je l'ai vu dans *Lili Passion* donner la réplique avec une généreuse lucidité à Barbara dans ce duo lyrique où il lui laissait la vedette. « Elles étaient belles, ces femmes », me dit-il un jour à leur sujet, et la tendresse de sa voix aurait déconcerté plus d'un loubard, un de ces jeunes durs lesquels cèdent aussi à son enfance.

D'ailleurs qui penserait à lui faire obstacle ? Il a flirté si longtemps avec la jeunesse et la gloire sans même le faire exprès qu'aujourd'hui il semble se laisser épouser par la maturité et le succès. Il a tous les alibis du monde, tous les atouts : la passion, la poésie, la désinvolture (jusqu'à l'Amérique séduite au passage). L'invulnérabilité aussi, même si la beauté, le charme, la tendresse lui apportent sans doute quelque langueur qui dévoile en lui un soldat sans armes, sans ennemis et sans combats sinon ceux qu'il peut mener avec lui-même. Car s'il se blesse à ses amours, seules les épines de son talent doivent le faire saigner. On n'ose pas lui demander quel rôle il rêve d'avoir, tant il est capable de les jouer tous. Mais il doit y avoir quelque part quelque texte, quelque personnage, quelque héros aux antipodes de lui-même et qui le guettent sans qu'il le sache.

Le plus souvent la télévision ne lui a offert que des personnages gagnants, des génies vaguement historiques, des rôles sans équivoque. « Il ne joue pas », dit-on de lui, par exemple, il est « Balzac ». Cela veut dire qu'il ressemble au Balzac qu'attendaient les téléspectateurs. Cela veut dire aussi que lui-même n'a pas pu y glisser tout son génie, sa foudre physique, mais plutôt l'écho de son nom. Il rentre sans trop de ruades dans les mots croisés qu'impose l'audimat aux metteurs en scène.

Et ça, c'est injustement bien sûr que je le lui reproche. J'ai été trop souvent séduite, éblouie pour supporter d'être, même de rares fois, simplement intéressée et approbatrice : de celui qui, *Sous le soleil de Satan*, m'a fait tomber à genoux devant un Dieu (auquel pour ma part je ne crois pas) dans un champ de Provence, derrière un prêtre mal dégrossi, celui dont j'aurais voulu arrêter le cri du cœur, l'aveu, la fuite simultanée dès les premières secondes de *La Femme d'à côté*. Celui qui, enfin, bien sûr m'a fait pleurer sans retenue et sans Kleenex en disant, mourant, à Roxanne : « Non mon cher amour, je ne vous aimais pas. » Ah cette voix d'outre-vie, d'enfance et de virilité mêlées.

La voix n'est qu'un des atouts de cet homme sans rature. Je n'ai pas décrit ce cou vigoureux, ancré dans un corps selon les rôles, lourd ou agile, désinvolte ou pataud. Un corps manuel qu'il malmène dans la vie de son plein gré, dont il attend tout, obtient tout, un corps d'autant plus vivant qu'il le confronte à la mort, et sans avarice. Un corps dont il doit renier les résistances et les appétits quand il est mélancolique.

Peut-être toute l'estime et l'affection qu'avec le public je lui porte assiéront un jour un Depardieu de marbre sur un siège de pierre ou vice versa, en haut d'une avenue parisienne : symbole du comédien comme Louis XIV de la royauté, estimé, reconnu, riche et aimé. Voilà bien sûr ce qu'on pourrait lui souhaiter. Mais je l'admire trop pour ça.

J'éprouve pour lui, envers lui, la gaieté, la confiance et la vague inquiétude que j'éprouvais envers mon frère, et qu'il éprouvait envers moi. C'est vrai : cet inconnu célèbre me ferait élargir les liens du sang.

ROBERT HOSSEIN

Fondateur et directeur du Théâtre Populaire de Reims depuis 1971, Robert Hossein, devenu un des meilleurs hommes de théâtre français, ne se contente pas de faire travailler sa compagnie à Reims. Il a créé successivement Roméo et Juliette *de Shakespeare à la Porte Saint-Martin en 1973, et* Crime et Châtiment *à Créteil et à Reims avant Paris. Au moment où il démarre* Le Cuirassé Potemkine, *et ensuite* Shéhérazade, *il se prépare à jouer lui-même et à monter* Des souris et des hommes *de Steinbeck au Théâtre de Paris.*

Quand j'ai rencontré Robert Hossein, il y a dix ans de cela, on disait de lui dans les milieux du cinéma qu'il était un « jeune loup ». Il était en effet la vedette de plusieurs films bons ou mauvais – dont la fameuse *Angélique* – et il était aussi le metteur en scène de plusieurs films violents, ambitieux et souvent très réussis.

En 1975, il me semble retrouver un vrai jeune loup. « Il faut beaucoup de temps, disait Picasso, pour devenir jeune. » Ayant abandonné le cinéma, ses pompes, ses fastes et en tout cas, ses facilités, Robert Hossein se retrouve intact, c'est-à-dire fou d'enthousiasme, devant la scène du Palais des Sports et celle du Théâtre de Paris. Il a deux cents personnes à faire vivre, il ne sait pas où se trouve son costume (de ville) et il est parfaitement content. Après le triomphe de *Crime et Châtiment*, il va réaliser dans des conditions extravagantes et folles, russes quoi, une adaptation du *Cuirassé Potemkine*, dans ce gigantesque cirque du Palais des Sports. Cent figurants, un navire grand comme le vrai, des lumières inspirées, des chats, des chiens, des cascadeurs, Wagner, Bruckner, Tchaïkovski, il va tout mélanger, tout arranger, tout faire sauter pendant des mois avant d'arriver à ce qu'il veut.

C'est-à-dire, un théâtre lyrique passionnel, éclatant, bref ce que l'on pourrait attendre d'un vrai théâtre populaire. Un théâtre où l'imagination serait la reine et où l'ennui serait l'ennemi mortel. Amoureux fou du théâtre, ce Ruy Blas se lance une fois de plus dans l'aventure.

Il est séduisant, mince et un peu creusé, très vif, avec de belles mains délicates qui étonnent chez cet homme si viril. Il n'aime pas parler de lui, bien sûr, mais de temps en temps, lorsqu'il parle de son travail surtout, des mots lui échappent, plus explicites que des déclarations formelles. Il dit : « Au lieu d'avoir des petits copains et des grands moyens, j'ai eu à ce moment-là de grands copains et des petits moyens », et il rit, enchanté à ce souvenir. Il dit : « Si on possède quoi que ce soit et qu'on ne donne pas, tu comprends qu'on ne donne pas, tu comprends, tu comprends... », et son visage s'altère sous l'effort qu'il fait pour faire comprendre justement ce que les « autres » trouvent incompréhensible.

Il aime « les mendiants, les fous et les rois ». Il aime les animaux, les femmes, les arbres. Et surtout, avant tout, ces scènes de théâtre gigantesques et désolées où il règne en ce moment, où il rêve et où il dort. Il habite une chambre de quelques mètres, non loin de ce théâtre, et la nuit, il va rôder d'un plateau à l'autre, il va imaginer ce qui pourrait être, ce qui va être. Il le dit d'ailleurs fort bien : « Ce n'est pas d'imaginer qui est difficile, c'est de garder l'image sous ses paupières et d'arriver à la recréer après. » En fait, c'est un homme qui sait. Il sait, parce qu'il sait qu'il ne sait rien, qu'il est fou d'admiration, fou d'enthousiasme, et qu'il n'est pas plus fier de ses folies qu'inquiet de sa prétendue ignorance. Il a, comme on dit grossièrement, du sang dans les veines.

Il a aimé quelques femmes, il en a eu des enfants qu'il aime. Il a plein d'amis qui ne jurent que par lui, et il a perdu une femme qu'il aimait il y a un an, dans un accident connu. De cela, il parle distraitement, semble-t-il, comme on parle de tous les coups affreux. « Le 31 juillet, il faisait beau, on est parti sur la route, vers le Midi… et puis il y a eu ce bruit, et ce cauchemar et l'hôpital. Et le 2 septembre, comme prévu, mais avec une canne, je commençais à répéter *Hernani*. Je ne comprendrai jamais ça. »

Et en effet, il existe chez Robert Hossein, chez ce garçon tempétueux, doué et chaleureux, une sorte de goût profond et très sain du bonheur. Russe, il l'est bien sûr, par ses écarts et ses foucades, mais pas par les nostalgies. Ses regrets ne l'intéressent pas. Il a traîné, enfant, de pension en pension, retrouvant souvent, mais pas assez souvent à son gré, des parents qu'il adore toujours. Il s'est fait des amis à Saint-Germain-des-Prés. Il a aimé le théâtre, s'en est lassé.

Il a « réussi » au cinéma et s'en est détourné d'un coup, partant sans valises et sans raison apparente pour Reims. Et là il a fondé une école d'acteurs, vécu de rien, et il a fait tant et tant que Paris a dû se rappeler son existence. (Ce n'est pas là une petite gageure.) Il y a quatre ans de cela. Et, comme il dit en riant : « Au début, les copains venaient me voir dans ma province, puis après, c'est comme quelqu'un qui est très malade et qui reste très malade, ils ne venaient plus me voir. » Il dit cela sans amertume et sans triomphe, car il semble que la rancune, la prétention, bref la mesquinerie lui soient des sentiments parfaitement étrangers.

Et si on lui demande, à tout hasard, comment il s'est décidé à changer, à prendre tous ces risques à quarante-deux ans, comblé comme il l'était par les femmes, le succès et la fortune, il vous regarde ébahi, enfantin, presque incompréhensif. « Un déclic ? dit-il, non. Je n'ai jamais rien décidé. Simplement, je me suis vu dix ans plus tard. Je me suis vu comme les autres me voyaient, comme je me voyais moi-même, je me suis vu fichu, à demi mort, installé, quoi. »

Et maintenant, le voilà installé sur un lit de camp, dans un théâtre provisoire, avec des projets mirobolants, le voilà en blue-jeans, fauché, débordant de vitalité, de projets et de dettes, le voilà non plus seulement un jeune loup, mais le voilà jeune, et, à mon sens, à tout jamais.

JE PLEURE MON AMOUR

Je pleure mon amour : *pauvres travailleurs du mois de juillet !*

Voilà une bien triste histoire. Figurez-vous que Lana Turner est correspondante de guerre à Londres en 43 et que pendant un quart d'heure, au début, elle assiste au désamorçage d'un V2 en compagnie de son amant Sean Connery. Vu le titre du film, je m'attendais au pire : qu'elle prenne ses hauts talons dans un fil et fasse exploser le V2, que Sean lève la tête par-dessus l'abri au mauvais moment, Dieu sait quoi... Mais non. Tout se passe bien. La catastrophe est ailleurs.

Ne voilà-t-il pas que Sean Connery est marié – et père d'un petit garçon. Non seulement il le lui avait caché – forcément, il l'aimait – mais en plus, il le lui dit, comme ça, brusquement, au moment précis où elle partait dire à son patron qu'elle ne voulait plus l'épouser, à cause de Sean. Tout cela paraît horriblement embrouillé et que l'on m'en excuse. En tout cas, l'avion de Sean a un accident et Sean meurt.

Restent donc en scène Lana, qui pleure, et son patron, qui comprend. Mais le film a duré une demi-heure et le mot « end » serait prématuré. De plus, Lana est très choquée – au sens traumatique du terme – et elle ne se contente pas de pleurer son amour, elle veut savoir où il a vécu, comment il était petit garçon, etc. Elle part donc pour le petit village de Cornouailles d'où Sean était natif. (Ravissant village au demeurant, le Saint-Tropez anglais, mais peuplé uniquement de rudes pêcheurs.) Et ne voilà-t-il pas qu'au cours de son pèlerinage, un bambin trébuche dans ses jambes, qu'elle reconnaît le fils de Connery et qu'elle pâlit affreusement. Et ne voilà-t-il pas qu'une jeune femme émue par sa pâleur l'invite à prendre le thé. Qui est-ce ? Je vous le donne en mille : la veuve de Sean, la très bonne comédienne Glynis Johns.

Donc, Lana s'installe chez la veuve de son amant et elles pleurent ensemble, Lana sans préciser sur qui, naturellement. La nuit, elle se promène dans le bureau du cher disparu, elle écoute sa voix au magnétophone, elle embrasse furtivement le bambin, et il n'y aurait aucune raison que ça cesse.

Heureusement, le patron compréhensif (le très séduisant Barry Sullivan) vient la chercher. Mais elle trouvera néanmoins le temps de gaffer et d'apprendre à l'épouse légitime que non seulement elle est veuve mais qu'elle était trompée. Ça ne paraît pas très adroit, mais, finalement, Glynis prend ça assez bien et elles se serrent la main sur le quai de la gare sous l'œil fatigué de Barry Sullivan. Il y a une heure et demie qu'on est là et le mot « end » est justifié.

Consciencieusement, j'ai été voir un autre film dont je tairai le nom par charité et qui est de la même eau. Personnellement, ce n'est pas sur Sean Connery que je pleure. C'est sur les pauvres Parisiens travailleurs du mois de juillet qui, pour se détendre, ont le choix entre deux ou trois nouveautés de ce genre. Et sur moi-même.

Article publié en 1958, à propos du film Je pleure mon amour, *réalisé par Lewis Allen. Avec : Lana Turner, Sean Connery et Barry Sullivan.*

LES BONNES FEMMES

Le dernier film de Claude Chabrol, Les Bonnes Femmes, *a été mal accueilli, Françoise Sagan a demandé à* L'Express *de plaider pour lui. Elle a la parole.*

Voici la deuxième fois en un an que je vois de justesse un très bon film, intelligent, audacieux, réjouissant, un film que presque toute la critique m'aurait empêchée d'aller voir si je l'avais écoutée. Le premier était *À double tour*, de Chabrol, et le dernier *Les Bonnes Femmes*.

Je dois signaler tout de suite que je ne connais pas Chabrol et que la simple expression de « nouvelle vague » me communique la même nausée que les photos en couleur des petits enfants de Rainier de Monaco, qui n'y sont pour rien non plus, les pauvres.

Mais, je dirai tout de suite que j'ai beaucoup d'admiration pour Chabrol. Il y a dans tous ses films un courant d'air qui sent la liberté, la gaieté, de temps en temps une douce folie, et enfin l'intelligence. *Les Bonnes Femmes*, le dernier, est un film juste, incroyable de justesse, et enfin beaucoup plus que les autres empreint de ce que certains critiques appellent l'humanité et qu'ils lui refusent. Je ne citerai pas ces critiques une à une, chacun s'y retrouvera et ce sont les mêmes sottises. « C'est un film vulgaire, sordide, bas, etc. » Or la vérité n'est jamais sordide. Et la vulgarité n'est qu'un effort pour dissimuler ou faire semblant. Rien de tout cela dans ce film : il y a des personnages grossiers, le langage employé ne relève pas de Madame de La Fayette, et alors ? Si je soutiens que 90 % de la population parle comme les personnages des *Bonnes Femmes*, je serai modeste ; et que les rues, les piscines, les dancings sont peuplés d'individus semblables, je serai juste. Mais que se passe-t-il ? Les critiques ne fréquenteraient-ils plus le bon peuple de Paris ? Seraient-ils à ce point noyés dans les cocktails, à parler de Fritz Lang ou de Hitchcock ? On a crié : « Assez » parce que les écrans étaient peuplés d'individus dénudés, étendus, parlicotant avec des partenaires désabusés. C'est compréhensible, il y a eu trop de films de ce style et l'ennui naquit un jour, etc. Mais y a-t-il une bonne femme nue dans ce film ? Une scène érotique ? NON.

Alors, me dira-t-on, c'est peut-être vrai. Mais pourquoi choisir un tel sujet ? Pourquoi décrire la laideur, la monotonie et la petitesse ? Il y a une seule raison à ça, et c'est la bonne : parce que ça existe. « Rien de ce qui est humain ne m'est étranger. » Ce n'est pas une phrase molle. Curieusement, on fait à Chabrol les mêmes reproches que l'on faisait, de son temps, à Zola (voir *Le Figaro* de l'époque). Sommes-nous condamnés, au cinéma, à ne voir que des princesses, des avocats, des intellectuels, des gens aisés ? Ou plutôt, sommes-nous condamnés à ne voir les autres, « les fauchés », qu'avec le bon clin d'œil malicieux, tendre et paternaliste de certains films italiens ?

Faudra-t-il toujours, comme toile de fond à ces jeunes filles qui travaillent et qui sont seules, le personnage de la « Mamma » qui lave le linge dans la cour, gifle et pleure, et du petit mécano honnête qui épouse à la fin ? Faut-il que toutes les apprenties de Paris ressemblent à Fanny de Pagnol ? N'y a-t-il pas cette grande peur du futur chez *Les Bonnes Femmes*, cette angoisse quotidienne, mal expliquée et étouffée, avec les moyens du bord ? Et les moyens du bord, c'est les « types », les dragueurs, rarement pitoyables pour les « bonnes femmes ».

Il y avait une manière de faire un film sur ce sujet, et c'était celle de Chabrol. Il n'a pas rêvassé, il ne s'est pas moqué de ses « bonnes femmes », en leur prêtant des déroulements romanesques saugrenus, il les a suffisamment distinguées les unes des autres pour qu'on les estime et que l'on se passionne pour le film. Bref, il leur a accordé cette tendresse qui est la vraie, celle de voir, de comprendre, et de ne pas chercher à transformer.

La dernière image du film, où cette bonne femme inconnue attend dans un petit dancing, attend « l'autre », attend l'amour, attend l'avenir, attend ce « à quoi rêvent les bonnes femmes », est merveilleuse de pudeur et, je le dis sans rire, de bonté.

Un homme arrive, on ne le voit que de dos, il s'incline devant elle, elle sourit. Ils dansent. Elle a la main sur son épaule, son visage devient confiant, ébloui. Il l'a invitée pour une heure dans un hôtel, ou pour la vie, elle l'ignore. Qu'importe : elle a été choisie. Cette simple scène me semble une assez grande clef pour ceux qui n'auraient pas su voir les autres.

Ajoutez à cela l'humour, la rapidité, la poésie, un sens de l'érotisme (je pense au zoo) bien plus suggestif que les divers déshabillages et autres culbutes dont on nous abreuve et vous n'aurez qu'une idée inférieure du film : Chabrol a quelque chose à lui, un ton, une manière de voir, une vérité qui lui appartiennent en propre. Mais, si vous ne me croyez pas, allez voir le film.

Article paru en 1960, à propos du film Les Bonnes Femmes, *de Claude Chabrol. Avec : Bernadette Lafont, Stéphane Audran.*

LES JEUX DE L'AMOUR

Les Jeux de l'amour : *je préfère le cinéma un peu fou.*

Une jeune fille charmante vit avec un jeune homme charmant, dans un magasin charmant, depuis deux années qu'on peut supposer avoir été charmantes. Elle voudrait contracter avec lui un charmant mariage en vue d'avoir des bambins charmants, situation définitive à laquelle le charmant amant répugne. Avec l'aide d'un charmant ami, mi-repoussoir mi-hameçon, elle parviendra à ses fins pour sa plus grande satisfaction et pour celle du spectateur charmé.

Ce film est joué par Geneviève Cluny, charmante, et Jean-Pierre Cassel, bien mieux que charmant grâce à quelque chose dans l'œil qui en a déjà fait ou en fera un merveilleux acteur.

Bref, voici un film gai, charmant – je l'ai déjà dit – et sans prétention. Pour ma part, je n'aime pas beaucoup les films sans prétention. Le cinéma m'apparaît comme une flèche prodigieuse destinée à empoisonner le spectateur à force de rêverie, de persuasion ou de violence. J'aime le cinéma un peu fou qui reflète quelqu'un (le metteur en scène), le cinéma qui crée des personnages écrasants ou des baudruches, le cinéma un peu monstrueux qui a déjà été fait, que l'on fait et qui est à refaire. Je trouve dommage de s'en servir pour filmer ce qui eût pu faire une moyenne pièce de théâtre. En ce sens je préfère *Moderato Cantabile*, film manqué, aux *Jeux de l'amour*, film réussi.

Enfin, je ne vois absolument pas ce qui a pu pousser Philippe de Broca, un jeune homme, à faire ce film. L'histoire ? Maupassant en avait fait autre chose. Les personnages ? Ils ne dévient pas d'un pouce, n'ont pas un réflexe que l'on ne puisse prévoir. Le fait de réussir une comédie ? Alors là, il a eu raison. C'est moins drôle que *Some like it hot*, c'est moins cruel que les films de Lubitsch, c'est moins efficace que Boisrond, mais dans le genre c'est réussi. C'est « distrayant », mais dans le pauvre sens du mot. Valéry disait : « Se distraire, c'est s'absorber. » Dans ce sens-là, *Les Jeux de l'amour* ne sont pas distrayants. Mais on peut y passer une heure et demie sans dommages.

La mémoire refuse

Cela dit, Philippe de Broca dispose des mêmes atouts que les autres jeunes metteurs en scène : de bons dialogues, de la justesse et cette vivacité qui touche parfois la sécheresse : il n'y a qu'un seul plan poétique dans ce film, celui où Jean-Pierre Cassel contemple une coccinelle sur sa main. Tout le reste du film se promène d'un trottoir à l'autre, d'un visage à l'autre, il y a de jolies vues, de bonnes scènes intimistes, des drôleries un peu forcées, aucune provocation, bref un film charmant. On voit même le visage de Chabrol dans une roulotte à un moment, ce qui fait soupirer de nostalgie, le Panthéon illuminé et les bonds de Jean-Pierre Cassel qui devait être éreinté. Geneviève Cluny et Jean-Louis Maury sont excellents.

Pourquoi d'ailleurs ces reproches ? L'ambition n'est pas un devoir. Et quelle importance si le charme de ce film est celui des éphémères (genre d'insectes qui ne vivent que peu de temps – signé Larousse) ? Aucune, si ce n'est l'agacement que l'on éprouve à parler d'un film que la mémoire refuse.

Article paru en 1960, à propos du film Les Jeux de l'amour, *de Philippe de Broca. Avec : Jean-Pierre Cassel et Geneviève Cluny.*

MODERATO CANTABILE

J'avais beaucoup aimé Hiroshima, mon amour, *mais* Moderato...

Je le dis tout de suite pour ne pas l'oublier plus tard, dans mon agacement; Jeanne Moreau est merveilleuse, les images sont superbes, l'idée est très bonne. De plus, c'est le premier film que je voie où les rapports d'une mère et de son enfant sont supportables. Bien mieux que supportables : attendrissants. Cela dit, je ne peux parler sans agacement de *Moderato Cantabile*, car ce sont des reproches de bon sens qu'on doit lui faire. Le bon sens m'ennuie. Il est très triste de ne pas aimer un film uniquement parce qu'il vous a ennuyée. *Moderato* n'est ni choquant, ni vulgaire, ni bête, ni prétentieux, ni mal fait : il est ennuyeux. Il est ennuyeux, et l'on n'y croit pas parce que c'est l'histoire d'une petite bourgeoise et d'un ouvrier qui se rencontrent et se séparent tout en parlant comme deux maniaques de Ionesco.

J'avais personnellement beaucoup aimé *Hiroshima, mon amour*. Le côté incantatoire, elliptique de Marguerite Duras devenait, du fait de l'atrocité des deux histoires, tout à fait nécessaire, comme certaine pudeur. Mais là ! Ce n'est plus pudique, c'est systématique, et l'on voit avec consternation parvenir au drame, aux larmes, deux étrangers qui n'ont échangé pendant deux heures que des formules confuses et des silences non éloquents (terrible au cinéma !). C'est à un point tel que lorsque Jeanne Moreau, à la fin, dit à Belmondo : *« Je crois que je vous aime »*, on sursaute, on s'émeut, on respire enfin. Et Dieu sait que ce n'est pas la faute des acteurs si l'on fixe l'écran, le reste du temps, avec une attention appliquée de bon élève incompréhensif. Je suis gênée d'écrire tout cela parce que rien ne me déplaît plus qu'une certaine forme de critique « à la française » : « Je ne comprends pas, donc c'est mauvais. » Mais je dois dire que je n'ai pas compris. Le thème du film est-il la découverte de l'ennui par une femme ? Peut-être, mais elle ne pouvait pas, étant donné ses rapports (non expliqués, d'ailleurs) avec son mari, elle ne pouvait pas ne pas s'ennuyer déjà. Est-ce plutôt la découverte de soi à travers un autre ? Cela me paraît presque impossible. On ne se découvre pas en échangeant des phrases sans suite et angoissées avec un étranger. Un homme et une femme se découvrent en vivant ensemble, en acceptant de s'aimer, et en se déchirant un peu tous les jours l'un contre l'autre. Du moins, je le crois. Non, il semble que l'idée du départ, qui était superbe – « deux êtres se rencontrent à travers un drame étranger et se quittent sans l'avoir résolu, sans qu'il se soit rien passé » – a dû aveugler un peu le metteur en scène, les acteurs, tout le monde. Car, en effet, il ne se passe rien. Il ne se passe rien entre l'écran et le spectateur. C'est peut-être un bel essai, mais c'est un essai loupé.

Il y a quelques scènes néanmoins, quelques images qui devraient suffire aux fanatiques du cinéma. Non pas tellement le décor qui est un peu trop « réussi », un peu trop utilisé – les grues, le fleuve, les arbres, etc. – mais certains gros plans admirables, notamment un de Jeanne Moreau les yeux fascinés, qui dure peut-être une bonne minute avant qu'elle ne laisse tomber la tête sur son épaule dans un touchant mouvement de fatigue, certains gestes de Belmondo qui semblent lui avoir été dérobés, et enfin le morceau de bravoure du dîner ennuyeux, parfaitement réussi.

Mais pourquoi hurle-t-elle comme ça à la fin ? Pourquoi ce cri si beau la première fois, dès le début du film, paraît-il si faux, si arbitraire la seconde fois ? C'est la question que je me poserais si j'avais fait le film.

Article paru en 1960, à propos du film Moderato cantabile, *réalisé par Peter Brook. Avec : J. Moreau, J.-P. Belmondo, P. de Boysson d'après le roman de Marguerite Duras.*

LES DOIGTS DANS LE NEZ

Malgré le grand choix de navets présentés cette semaine à Paris, Françoise Sagan a absolument tenu à se rendre, pour sa chronique hebdomadaire de cinéma, à une projection privée et imaginaire des Doigts dans le nez. *Nous présentons donc, un peu en avance, puisque la sortie de ce film est prévue pour* 1970, *la critique de notre collaboratrice.*

Enfin un grand film... un souffle neuf dans le cinéma français. Non point que J.-G. Dubroc n'ait pas retenu la leçon de ses maîtres (en effet, je ne sais pas si c'est plus au *Cuirassé Potemkine* qu'à *La Jument verte* que ce film m'a fait penser par instants), mais l'expressionnisme allemand rejoint ici en le transcendant cet esthétisme culbuté, ce déterminisme si à la vogue, dépassant Pabst et Flaherty, sans oublier Mack Sennett. Mais revenons au fait.

Les Doigts dans le nez, comme le titre l'indique, est l'histoire du douloureux passage de l'enfance à l'adolescence. Jeune homme obstiné et malpropre, parents impuissants, tout le drame de la jeunesse actuelle est évoqué dans ce geste. La pudeur de Dubroc nous évite les gros plans pénibles grâce à des artifices techniques, des trouvailles suggestives (mouchoirs, Kleenex) qui montrent bien que la décence est encore un mot français. Je pense notamment à la scène du rhume (véritable clou du film) où le jeu d'expression du jeune Roger Galadon – *un nom à retenir* – son visage torturé, sa main crispée ont suscité dans la salle une sorte d'angoisse que je ne pouvais pas ne pas partager.

Qu'on ne me parle pas, pour une fois, d'intentions politiques : *Les Doigts dans le nez* sont un film sans contraintes, un film situé, un film en marge, bref une œuvre.

Mais, me dira-t-on, quel est le but de ce film ? Que veut-il démontrer ? On ne le voit que trop ; et je pense que plus d'un parent, plus d'un professeur, plus d'un de ceux que l'on nomme si légèrement des « éducateurs » retournera chez lui la tête basse. Les doigts dans le nez, oui… Mais à qui la faute ? À ceux qui ne peuvent pas les enlever ou à ceux qui les y laissent ?

C'est à cette question que répond Dubroc, avec son âme comme avec ses travellings. Et sans concessions.

J'ai déjà parlé de Roger Galadon, le jeune héros dont j'apprends à l'instant qu'il doit jouer le père Karamazov dans le prochain film de Dubroc, et je suis sûre qu'il mettra dans ce personnage la même sincérité déchirée. Dans le rôle de la mère, Linda Balapatte a su quitter les cha-cha où on la cantonnait et assume à fond un rôle douloureux et placide. Interprétation hors pair, de toute façon.

Courez donc voir *Les Doigts dans le nez*, ils vous étourdiront. Pour ma part, si ce film n'obtient pas le Grand Prix de l'Âne d'argent, je démissionne de mes fonctions de critique.

Article-canular paru à propos du film Les Doigts dans le nez *de J.-G. Dubroc, avec lequel Françoise Sagan choisit d'achever sa brève carrière de critique de cinéma. Dubroc et son chef-d'œuvre n'ont jamais existé.*

MATERNELLE AVEC BB

En Brigitte Bardot Sagan voyait une jeune femme libre et naturelle. Un être humain mis dans une situation inhumaine.

« Je suis belle, ô mortels, comme un rêve de pierre », disait Baudelaire, et « comme un rêve de chair », dit Vadim. Et Bardot fut créée. Et tout le monde approuva et tout le monde rêva d'elle : l'Amérique, l'Europe, l'Afrique, l'Asie.

On vit une femme, en 1954, faire l'amour parce qu'elle en avait envie, aimer un homme puis un autre, et ne ressentir de tout cela aucune honte mais plutôt, au contraire, un sentiment de liberté qui était grisant, et qui est d'ores et déjà maintenant dépassé et comme annulé, comme tout mot d'ordre et tout mode et tout exhibitionnisme sans folie. Hélas.

Soumise à son destin de flashes, de star et de bête curieuse, mais plus soumise encore à son instinct d'animal femelle parfaitement libre de son sang et de ses impulsions.

C'est alors qu'on tenta de lui imposer des devoirs. Ayant tous les droits païens : choisir, apprécier, aimer, quitter. On tenta de lui imposer des devoirs chrétiens : « travailler, épouser, aimer son métier, élever, etc. ».

Elle ne s'y trompa pas, elle refusa. Elle prit les droits naturels de sa beauté, de sa nature, et refusa les faux devoirs avec une belle énergie de guéparde. On la dota d'hommes qu'elle rejeta un jour, de rôles qu'elle se borna à interpréter, de malaises qu'elle se refusa à ressentir ouvertement. Même pour cette société pourrie et fascinée, elle refusait de jouer à ce jeu dérisoire et baroque du devoir et du droit. De mesurer. Elle était résolument anarchique.

Elle était le succès, l'argent, l'amour et elle ne voyait pas pourquoi, ni à qui rembourser. Bref, elle n'avait pas honte d'elle-même. Elle ne s'excusait pas de son complet triomphe, alors que tant d'autres s'excusaient de leur demi-succès. Et c'est pour ça qu'elle scandalisa.

Les gens de la publicité, de la presse et du cinéma ne supportent pas qu'on leur résiste et se croient tous la voix de Circé (c'est-à-dire que, si on leur résiste, ils essaient de vous briser et que, s'ils n'y parviennent pas, ils se résignent à vos volontés). La vie logique, normale, donc tumultueuse, puisqu'elle était belle et exigeante, de Brigitte Bardot ressembla longtemps, grâce à eux, à une sorte d'exhibitionnisme forcené. On parlait de ses hommes comme on parle de pions et, pour une femme qui aime les hommes, cela est très difficile à supporter. Elle le fit avec, j'imagine, mille difficultés, mais aussi avec mille désinvoltures. Et de cela, grâces soient rendues à son éducation bourgeoise, son indifférence foncière ou sa perversion hypothétique, cela n'est pas important.

Pour ma part, je croirais à un naturel parfait, naturel aussi bien dans la générosité que dans l'égoïsme, la férocité que l'affection, l'exigence que la tendresse. Bref, à un être humain qui, mis dans une situation inhumaine, celle d'objet (et pas dans le vieux rôle de la femme-objet dont il est tant question actuellement), mais dans celui d'objet tout court, objet de caméra, objet de commérages, objet de désir, objet d'insulte, un être humain qui sut rester beau, naturel, féroce, tendre, aimant les chiens, les chevaux, et la mer et les hommes, un être humain relativement très peu abîmé par rapport à ses contemporains et qui eut, cependant, à supporter parfois un supplice intime dix fois pire que le leur.

LA JEUNESSE, APRÈS TRENTE ANS, C'EST FINI

André Barsacq présente ces jours-ci à l'Atelier (générale le 15 septembre) la dernière pièce de Françoise Sagan, dont il avait créé, il y a dix ans, la première œuvre au théâtre : Château en Suède.

Interprété par Françoise Christophe, René Clermont, Daniel Ivernel et Dominique Paturel, Un piano dans l'herbe *met en scène un groupe d'adultes qui essaient de retrouver leurs vingt ans, parce que la jeunesse est à la mode.*

« D'où vient cette mode, Françoise Sagan ?

– *De Mai 68. Les gens se sont sentis brusquement plus âgés qu'ils ne le pensaient; brusquement, ils ont été réveillés par un grand coup de gong.* »

L'analyse politique n'entre pas dans les préoccupations de Françoise Sagan; son point de vue reste affectif. Ce qui l'a touchée en mai 68 : tous ces gens qui pouvaient parler à quelqu'un, qui ne se sentaient plus seuls; tous ces jeunes réunis.

« Nous ne connaissions pas cette solidarité; nous avions nos passions, nos ennemis, mais pas de copains; des amis, oui, mais jamais nous n'aurions pu nous retrouver à deux cent mille à l'île de Wight; nous n'avions pas d'argent, et les parents ne nous auraient pas laissé partir. »

Bien que « *les formes de vie bourgeoises aient explosé il y a belle lurette* », et qu'elle en ait connu la fin, elle envie un peu ces jeunes gens à qui est donné ce qu'elle a dû acquérir : l'autonomie et la décontraction dans les rapports entre individus; plus précisément, dans les rapports affectifs.

Écrire à dix-huit ans *Bonjour Tristesse* représentait, il y a quinze ans, un acte insolite et presque scandaleux; un acte qui, en tout cas, a mis en lumière le côté marginal de Françoise Sagan; et, sans aucun doute, cet éclairage la gêne : elle prend soin de replacer son comportement dans le cadre du « normal ».

« À dix-huit ans, sans aucune visée politique, j'avais envie de liberté comme un animal; tous les adolescents ont envie de faire ce qui leur passe par la tête; j'ai essayé de sortir de l'ornière creusée par les aînés d'une manière personnelle, égoïste comme tous les gens qui écrivent. »

Avant mai…

Elle ne souhaite pas être comme tout le monde, elle préférerait que tout le monde soit comme elle, elle a horreur de la solitude.

« Tous ces jeunes, avant Mai criaient dans le désert; depuis, ils crient ensemble; ils ont ouvert les yeux et ont vu jusqu'où ils risquaient d'arriver, ce qui n'est pas « tordant »; une guerre effroyable, ou la perspective de week-ends à la queue leu leu sur les routes et de la fermette; ils ont eu un mouvement de révolte; pour une fois, ils étaient d'accord. »

Bien que l'importance du phénomène de masse ne lui échappe nullement, Françoise Sagan est sensibilisée aux réactions individuelles, à partir de son horreur de la solitude, de l'ennui, des habitudes.

« Je crois beaucoup à la force des habitudes, c'est pourquoi j'essaie d'en contracter le moins possible ; elles ne me font pas peur, je n'aime pas... je me dis que je vais finir complètement dans la routine... alors je déménage tous les ans, non pas pour me sentir changée, mais pour me donner des idées nouvelles... j'ai des crises de bougeotte effroyables. Sauf lorsque j'écris. Écrire me stabilise. Mais j'ai horreur des gens qui parlent sans cesse de ce qu'ils font, ça me tue ; je travaille très vite, alors finalement, pour moi, ce n'est pas obsédant. »

Cependant, elle parle de sa pièce, de son style elliptique et de ses difficultés devant les questions – souvent trop abstraites – des comédiens. Pour éclairer son texte, elle ne s'appuie pas sur la psychologie de ses personnages, mais sur leur biographie.

Ses personnages ne sont pas des adolescents. Bien que les problèmes actuels des jeunes l'intéressent, elle ne s'y trouve pas engagée.

« Je n'ai plus dix-huit ans » ; elle n'en a pas encore quarante, mais elle s'est penchée sur cette génération qui a eu vingt ans en 1944.

« En 1968, ils ont éprouvé le sentiment de n'avoir rien compris ; mais ils ne sont pas responsables ; après la guerre, ils ont été saisis par un intense goût de vivre très normal après ce qu'ils avaient subi. Parents démissionnaires ? Non. Ils ont fait des enfants inconsidérément et les ont élevés comme s'ils étaient nés dans les choux. La morale de la pièce est qu'il ne faut pas essayer d'être jeune à tout prix, qu'il faut assumer son âge, c'est-à-dire ne pas y penser, et savoir qu'après trente ans c'est fini. Inutile de rêvasser là-dessus. Qu'est-ce que ça peut faire !

Mon idée de départ était d'écrire une farce sur un pique-nique avec des œufs durs et des quadragénaires qui voulaient faire du vélo. Peu à peu, je me suis rendu compte que la situation entraînait des problèmes plus graves... c'est une question très grave ! »

Elle parle des questions graves, violentes, exaltantes en termes mesurés, familiers, fleurant la bonne éducation, celle qui apprend à ne jamais se laisser aller, à survoler la souffrance.

Françoise Sagan n'adhère pas à la mode de la violence.

Article paru en 1978. Propos recueillis par Colette Godard.

DE TRÈS BONS LIVRES

Les articles publiés dans *De très bons livres*
proviennent notamment des journaux suivants :
Elle, *Vogue*, *Femmes*, *Égoïste*, *Le Monde*.

LE CLOCHARD DE MON ENFANCE

Pour raconter cette histoire, il faut que je me souvienne de Paris, de Paris l'été. Les feuilles de marronniers sont sèches et craquantes sous les pas, les rues blanches. Une sorte de poussière se lève parfois au coin des rues et vient mourir à vos pieds. Il n'y a plus personne sauf parfois, comme c'était mon cas cet été-là, des malheureux étudiants que les examens de juillet ont livrés à l'opprobre de leurs parents et aux affres du travail.

La pension où j'étais était dans un quartier résidentiel et calme. Nous travaillions les fenêtres ouvertes sur la chaleur étouffante, malades d'ennui à l'idée de la mer et des plages que nous avions délaissées. La seule distraction était, à la fin de l'après-midi, les promenades en groupe dans les rues désertes. Ces promenades m'étaient vite devenues insupportables tant par la monotonie du trajet que par la honte que j'éprouvais à me promener en troupeau de filles.

Sous un prétexte quelconque, je m'en étais fait dispenser. Il me restait donc, à la tombée du jour, une heure à passer seule, à me promener sur le gravier crissant et mélancolique de la cour et à m'asseoir sur les bancs poussiéreux, j'aimais d'ailleurs cette heure lente et grise. Je m'étirais, je bâillais, je comptais les arbres, je goûtais cette solitude un peu fade. Mais un jour où j'avais accompagné une amie jusqu'à la sortie de la pension, le gardien ferma la porte derrière moi et je me retrouvai seule et libre avec une heure complète devant moi dans un Paris inconnu.

La Seine était proche. Je l'avais aperçue lors d'une promenade. D'ailleurs, les rues descendaient vers elle comme des affluents de pierre, je n'avais qu'à les suivre. J'avais rarement éprouvé un tel sentiment d'aventure. Je portais encore un vieux tablier d'écolière, noir et taché d'encre, mais je m'en souciais peu. Une ville, une heure m'étaient offertes. À moi de les prendre. Si je ne parvenais pas à entrer en même temps que les autres, je serais renvoyée, mais déjà je n'y pensais plus. J'étais arrivée au quai, la Seine se retournait lentement devant moi.

La Seine était jaune et bleue et étincelante. Il était 6 heures et le soleil l'abandonnait à peine, au fond d'un ciel pâle. Je descendis les marches et commençai à marcher sur les berges. Il n'y avait personne et je m'assis sur le parapet, les jambes ballantes. J'étais parfaitement heureuse.

Au fond du quai, je vis arriver une ombre, à contre-jour. C'était une silhouette noire et maigre, avec un baluchon au bout du bras. Mais elle avait une démarche aisée et souple, plutôt celle d'un sportman que d'un clochard. C'est seulement quand il fut près de moi que je distinguai son visage. Il avait environ cinquante ans, des yeux bleus et d'innombrables rides. Il me regarda un instant, hésita et sourit. Je lui souris en retour; alors il posa son baluchon près de moi et me demanda : « Puis-je m'asseoir ? » avec une intonation parfaitement mondaine comme si la Seine et ses rives eussent été mon salon. Je lui souris sans répondre car je me sentais intimidée et il s'assit près de moi.

Il ne me demanda pas ce que je faisais, ni mon nom, ni mon âge, ni quelle raison me poussait au bord de la Seine à 6 heures du soir en tablier noir. Il sortit une cigarette de sa poche, me l'offrit, puis en alluma une pour lui. Il avait de belles mains d'oisif, les ongles juste un peu sales. Nous restâmes quelques minutes sans rien dire, puis il se retourna vers moi : « Vous allez voir passer une des plus vieilles péniches de la Seine. Il y a trois ans que je la connais et trois ans que je m'étonne qu'elle flotte encore. » Nous vîmes passer une très vieille péniche, mais elle m'intéressait peu. C'était cet homme qui m'intéressait et cela m'étonnait moi-même, car j'avais à peine seize ans et les livres m'intéressaient beaucoup plus que les êtres humains. Je lui demandai s'il lisait et je rougis aussitôt car je trouvai ma question stupide, adressée à quelqu'un qui n'avait manifestement pas les moyens de s'acheter un livre. Mais il me répondit qu'il avait beaucoup lu et me demanda quel livre je lisais en ce moment. Je le lui dis et il m'en parla avec beaucoup d'ingéniosité.

Bientôt, je me levais d'un bond, réalisant qu'il était près de 7 heures ; il me revenait des réflexes de peur, de punition ; je lui dis qu'il fallait que je m'en aille tout de suite. Il dit : « C'est dommage. » Et puis, avec un petit rire : « Vous avez donc des heures si précises ? » Et il ajouta qu'il allait rester là, qu'il serait content de me voir le lendemain. Il me promit qu'il m'apprendrait des choses qui m'amuseraient peut-être sur l'auteur du livre en question. C'était Flaubert, je ne connaissais rien de Flaubert et l'idée que ce clochard me l'apprendrait me parut très plaisante. Je lui dis au revoir et repartis en courant jusqu'à la pension. À un coin de rue, je rencontrai la promenade, je me faufilai dans un rang et rentrai sans encombre.

De ce jour commença une bizarre semaine. Je m'échappais sans histoire, courais à la Seine et y retrouvais mon ami. Je ne savais pas son nom, il ne savait pas le mien, nous parlions de tout et de rien, assis sur le parapet, tandis que la Seine changeait de couleur devant nous, devenait grise, puis blanche. Le soleil disparaissait, je savais qu'il me restait dix minutes, je me tournais vers lui avec un sourire triste et il souriait aussi, me tendait la dernière cigarette avec un petit air de pitié. Cette pitié, cette commisération pour mon souci de l'heure ne laissaient pas de m'énerver et je finis par lui dire que j'allais en pension et que je serais renvoyée si j'étais en retard. Il ne parut du tout impressionné, mais il prit l'air sérieux et me plaignit. Entraînée par mon élan, je lui dis que j'aimerais beaucoup mieux être comme lui et me promener sur les quais. Il se mit à rire : « C'est beaucoup plus difficile que vous ne le croyez ! Il y faut des dispositions ! »

Je lui demandai lesquelles. Il me répondit qu'il fallait « savoir vivre ». Or, pour moi, vivre c'était avoir des amis, de l'argent, danser, rire et lire. Il ne faisait rien de tout cela. Je résolus, en y pensant toute la soirée, de lui demander le lendemain ce qu'il voulait dire par vivre.

Le lendemain, il pleuvait un peu. Mes camarades sortirent quand même avec des imperméables et je partis de mon côté avec mon tablier noir sous la pluie. Je courus tout le temps tant j'avais peur qu'il ne soit parti. J'arrivai essoufflée, trempée, et le trouvai sous l'arche du pont avec son éternelle cigarette. Il commença par sortir de son baluchon un énorme chandail, plutôt sale et troué, qu'il m'enfila sur mon tablier. Les gouttes de pluie tombaient lentement dans la Seine. Elle était triste et boueuse. Je lui demandai ce qu'il entendait par « vivre » et il éclata de rire : « Vous avez de la suite dans les idées, mais après tout, je m'en vais demain. Je vais vous raconter. »

Alors il m'expliqua qu'il avait une femme et des enfants, et une très bonne voiture et de l'argent. « Une excellente situation, disait-il en riant. J'allais au bureau à 8 heures, je travaillais toute la journée, je retrouvais le soir ma charmante femme, mes beaux enfants, je buvais un cocktail. Nous dînions avec des amis, nous parlions des mêmes choses, nous allions au cinéma, au théâtre, nous passions nos vacances sur de très belles plages. Et puis, un jour… »

Un jour, il en avait eu assez. Brusquement, il s'était rendu compte que sa vie passait, qu'il n'avait pas le temps de la voir passer. Qu'il était pris dans un engrenage, qu'il n'avait rien compris à rien, et que dans vingt ans peut-être il serait mort, sans avoir rien fait d'autre que conserver un certain standing.

« Je voulais voir le temps passer, le jour descendre, je voulais écouter le battement du sang à mes poignets, éprouver la dureté et la douceur des jours. Je suis parti. On m'a déclaré irresponsable, on me donne un peu d'argent. Depuis je me promène. Je regarde les fleuves, les ciels, je n'ai jamais rien à faire, je vis. Je ne fais que ça. Ça vous paraît bizarre, je suppose ? »

Ça ne me paraissait pas bizarre. Je réfléchissais seulement que j'allais moi aussi être un jour prise dans un engrenage, je voyais mon temps pris, ma mort prochaine, tout ça sans avoir rien vu, rien compris ; peut-être fallait-il se débattre. Se débattre durement. Pour la première fois, je lui pris la main. Elle était dure et sèche, mais c'était un contact agréable.

C'était peut-être mon seul ami et il allait partir, je ne le reverrais plus. Je lui posai la question et il me répondit qu'il ne me reverrait sans doute jamais, mais que ça n'avait pas d'importance. Qu'une semaine d'été au bord de la Seine était une bonne semaine pour avoir un ami et le perdre. Puis il me sourit et partit. Je le vis s'éloigner dans le soleil.

Je rentrai en courant à la pension. Il n'y aurait plus de fuites dans les rues blanches vers la Seine. Mais il y avait autre chose, une espèce de fatigue heureuse. Et le goût du temps accroché à moi comme une bête désormais familière.

J'AIMERAIS ÉCRIRE DE TRÈS BONS LIVRES

En 1957, après son accident de voiture, Françoise Sagan, qui venait de publier Dans un mois, dans un an, *recevait Madeleine Chapsal.*

Dans une maison du Midi doucement chauffée par le soleil de septembre, Françoise Sagan achève de se rétablir, tandis que son troisième roman se vend à un rythme encore jamais atteint en France. Toute mince, deux yeux liquides et bruns dans un visage encore tiré, on la sent fermement repliée sur elle-même. Douce, mais défendue. Fatiguée, aussi.

– *Quand vous conduisez à la vitesse que vous aimez, avez-vous l'impression de prendre des risques ?*

– Je ne prends jamais de risques. Je conduis très vite et prudemment. C'était un accident idiot. On sait que cinq voitures se sont renversées au même endroit. C'est vrai. Et c'est là-dessus que va plaider mon avocat : trois 4 CV et deux Aronde. Je n'étais pas en prise, je ne pouvais pas aller très vite.

– *Vous êtes-vous rendu compte combien ç'a été grave… après ? Est-ce que cela vous a changée ?*

– Après… j'étais dans le coma. Je me suis rendu compte de l'accident parce que j'ai eu plein d'ennuis à la suite. J'en ai encore pour deux mois, trois mois.

Forcément, ça, ça change. Mais je ne crois pas que les épreuves apportent grand-chose.

– *C'est une déclaration qui risque de choquer le bon sens...*

– Je dis que les épreuves n'apportent rien parce qu'elles sont rarement suffisantes pour tarir ces deux tendances profondes que sont : un certain appétit de bonheur et un certain abandon au malheur. Cet équilibre, ou ce déséquilibre, chez une personne, varie peu.

– *Vous pensez alors qu'on ne change jamais ?*

– Si, mais pas comme ça, je crois. De toute façon, les changements, dans une vie, sont le plus souvent de surface, de tactique, et seuls les « autres », la rencontre avec les autres, peuvent les provoquer; Stendhal le dit d'ailleurs, « la solitude apporte tout, sauf le caractère ».

– *De plus en plus, les journalistes vous traitent comme une star. Quel effet cela vous fait-il ?*

– Ça me paraît grotesque, mais qu'y faire ? Si je pouvais arrêter les frais, je le ferais, mais je ne peux rien faire.

– *Ça ne vous apporte rien ?*

– Non. Le seul miroir possible, c'est ce qu'on a écrit. [...]

– *On a fait de vous un personnage qui s'ennuie beaucoup.*

– Non, je ne m'ennuie pas du tout. Je n'ai pas le temps. On m'a vue dix fois dans des cocktails, des dîners, où je promenais un visage ennuyé parce que je m'ennuyais mortellement. Et je m'ennuie tout le temps dans ce genre de réunions. D'ailleurs, je n'y vais plus.

– *Autrefois, vous étiez inscrite à des groupements de gauche ?*

– Oui, je le suis toujours.

– *La politique vous intéresse ?*

– Oui, je lis les journaux à ce sujet. Je ne peux pas faire grand-chose. Même le style de ma célébrité me gêne pour le faire. Simplement, je refuserais toute interview ou tout papier à certains journaux que je trouve infâmes pour les avoir lus deux fois.

– *Quand avez-vous pensé à écrire ?*

– Assez tôt. À 12, 13 ans. Dès que j'ai commencé à lire sérieusement.

– *Il y a beaucoup de gens qui pensent à écrire et en même temps nourrissent prudemment d'autres projets.*

– Je n'ai jamais pu envisager de faire autre chose. Je n'ai jamais pu penser que je pourrais être assistante sociale par exemple. Après le bachot, le seul débouché pour moi, c'était écrire un livre, ou épouser quelqu'un, ou vivre avec quelqu'un.

– *Vous êtes-vous sentie entravée par le fait d'être une femme plutôt qu'un homme ?*

– Non. Je trouve que les hommes ont beaucoup plus d'ennuis que les femmes. D'abord, ils ont à s'occuper des femmes…

– *Qu'aimez-vous chez un écrivain ?*

– Ce que j'aime chez un écrivain, c'est la « voix ». Certains écrivains ont une voix, qu'on entend dès la première ligne, comme la voix de quelqu'un. C'est ce qui compte pour moi. La voix, ou le ton, si vous préférez.

– *Il semble que, littérairement, vous vous intéressiez plus que tout à ce qui touche au sentiment, à l'amour ?*

– Oui, je m'intéresse surtout à l'amour, mais comme à une des choses directement liées à la solitude, j'aime ce réflexe tendre chez les gens, on se cache la tête sous son aile. Mais ce qui m'intéresse, c'est surtout la solitude. Bernard seul à Poitiers, Josée seule en voiture, etc.

– *Qu'appelez-vous solitude ?*

– La solitude, c'est cette conscience d'un soi immuable, assez perdu et incommunicable à la fois. Presque biologique, en somme.

– *Vous avez beaucoup d'ambition ?*

– J'aimerais écrire de très bons livres. Oui, c'est une vraie ambition. [...]

– *Qu'est-ce que vous pensez de l'argent ?*

– C'est bien commode.

– *Si vous en aviez beaucoup plus, est-ce que ça ferait une différence ?*

– Oui, ça serait encore plus commode. Et puis je reçois dix lettres par jour qui me demandent de l'argent. Je ne peux pas répondre chaque fois.

– *Le succès que vous avez eu, à quoi l'attribuez-vous ?*

– Je ne sais pas du tout alors !

– *C'est un succès qui vous paraît mérité ?*

– Un tirage aussi énorme, ça n'est pas explicable. C'est un phénomène d'ordre sociologique. Pourquoi ? Je ne sais pas.

– *Ça ne vous concerne pas plus intimement ?*

– Oui, bien sûr, il y a tout un côté de soi-même rassuré et satisfait par le succès. On a fait quelque chose et la vie est d'accord.

– *Vous auriez été étonnée si ça n'avait pas marché ?*

– J'ai toujours eu l'intuition que ça allait très bien marcher, dès que mon premier livre a été fini. J'étais persuadée que ça marcherait. Si c'était publié, je savais que ça marcherait. Vous trouvez ça bon, vous, mes livres ? [...]

– *On prête parfois le flanc. N'est-il pas malencontreux d'annoncer la nouvelle de votre mariage en même temps que celle de la sortie de votre livre ?*

– Je ne suis pas responsable. Ça n'est pas moi. Un journal anglais l'a annoncé le premier. J'ai démenti. Guy [Schoeller] a confirmé en téléphonant du Kenya.

– *Et les photos ?*

– Vous savez comment ça se passe. Les gens de *Match*, par exemple. Ils me téléphonent. Je les connais. Ce sont tous des amis. Que voulez-vous que je fasse ? Je les aime bien. Ça les arrange, et moi, ça ne me gêne pas.

– *En résumé, ça ne vous gêne pas ?*

– Ça me gêne, parce que c'est disproportionné à l'objet. Parce qu'en fait je suis quelqu'un qui écrit et je ne suis pas quelqu'un dont on doit parler dans les journaux. Il suffirait qu'on lise mes livres. Mais pas qu'on lise sur ma vie privée, sur mes voitures.

– *Ça influence peut-être le tirage ?*

– Oui, ça influence le tirage et c'est de la publicité. Mon éditeur s'arrange un peu pour qu'il en soit ainsi. Du reste, c'est son métier à lui.

– *Est-ce que ça a une influence sur ce que vous écrivez ?*

– Non, pas du tout. Non, écrire est une entreprise tellement solitaire...

POURQUOI J'AI CHOISI UNE PROVINCIALE

Le Garde du Cœur *fut le dernier roman publié par Françoise Sagan avant* Un peu de soleil dans l'eau froide. *Elle y avait repris tous ses thèmes favoris : le triangle parisien habituel de la femme vieillissante entre l'homme mûr et le romanesque et tendre jeune homme. Pourquoi, soudain, dans son premier roman pour Flammarion, une héroïne venue pour la première fois toute fraîche de province ?*

Pourquoi une fraîche débarquée de province ?... Oui, on m'a beaucoup reproché de reprendre toujours les mêmes personnages. Mais comment aurais-je parlé de gens que je ne connais pas... J'étais entourée de gens qui venaient pleurer sur mon épaule... d'ailleurs tous les hommes que je rencontre finissent par me raconter leurs problèmes. Et peu à peu se créait en moi le personnage de Gilles, trente-cinq ans, journaliste très parisien, qui a l'air parfaitement heureux et qui, en réalité, sombre dans la dépression nerveuse.

Lassé de sa vie trépidante, de son métier, de ses amis, d'Éloïse sa ravissante maîtresse, fuyant ses dettes, soudain Gilles n'arrive plus à maintenir son parti pris de gaieté, de cynisme et de réussite.

Vous savez, ce qui m'a toujours passionnée chez les hommes, c'est leur manière de vouloir être les plus malins dans leur jeu de cow-boys, et de pleurer dans le noir, de se plaindre, d'avoir peur... Ils sont très vulnérables. Et dans leurs films de cow-boys, dans leurs westerns, y a des tas de rêves : selon eux, on est la douce jeune fille, la fille du shérif qu'il faut conquérir de haute lutte, ou alors on est la prostituée au grand cœur...

Et tout à coup, j'en étais là avec Gilles, parti dans le Limousin retrouver sa sœur, la vieille Citroën, la maison de son enfance, des chaises longues sous les arbres, des cigarettes infâmes à bout doré en buvant des porto-flip... et il y eut « une femme grande, belle, qui lui souriait. Elle avait des yeux verts hardis, des cheveux roux, quelque chose d'arrogant et de généreux à la fois dans le visage... un air de flamme »... J'étais à ce moment-là en train d'écrire tout ça en Irlande où j'avais fui pour être tranquille. J'en avais à peu près aligné soixante pages... j'écrivais : quant à Nathalie (car c'était elle), elle l'aima dès qu'elle le vit. Cette phrase me frappa tellement par son évidence que je sentis que mon personnage de femme était né, une femme entière, sans compromissions.

Nathalie n'est pas un personnage à clef. Elle est complètement inventée. Trente-six ans, sans enfants, cultivée, elle a une vraie bonté, du temps pour écouter, elle s'occupe d'œuvres, de choses utiles, elle dit toujours la vérité. Bref, elle est absolue, honnête et c'est de cette honnêteté que Gilles tombe amoureux. C'est une jeune femme un peu démodée qui parle de Balzac avec passion, qui parle des saisons, des récoltes, des voisins... une femme qui sait écouter, aussi...

Eh oui ! du lyrisme ! *(dit Françoise Sagan d'un air à la fois ironique, honteux et étonné)*... Brusquement.

Pourquoi le Limousin ? c'est parce que je le traverse régulièrement pour aller retrouver ma famille dans le Lot, et que j'y arrive toujours vers six heures du soir, à l'heure la plus jolie du monde, dans une merveilleuse lumière rose... et que peu à peu ce Limousin m'a paru le plus délicieux endroit où tomber amoureuse. Ce qui est extraordinaire avec Nathalie, c'est que pour tous mes autres romans, *La Chamade*, etc., toutes mes amies me téléphonaient pour me dire : « Ah tu ne peux pas savoir, c'est moi, c'est tout à fait moi c'est fou... » même Mrs Seymour (dans *Le Garde du Cœur*, vous savez, elle a quand même quarante-sept ans !), eh bien, elles me téléphonaient encore « c'est tout à fait ça, c'est fou ce que je me retrouve. Cette fois-ci, pas une ne s'est reconnue dans Nathalie. C'est cocasse, non ?

L'IMMENSE FAMILLE DE LA LECTURE

Où, quand, comment, allez-vous lire Un profil perdu, *le douzième roman de Françoise Sagan qui vient de paraître chez Flammarion ? Elle, pour ouvrir ce cahier consacré à vos lectures d'été, vous confie ce que lui apporte un livre, cette « main tendue », cette « envie de partager » toujours offertes par un auteur. Et qui font de chaque lecteur un cousin, ou une cousine, de l'« immense famille sentimentale de la lecture ».*

Ou bien, je suis allongée sur une plage, la mer se tait presque sous le soleil, j'étends le bras, je prends un livre empli de sable, je l'ouvre : « Après le déluge. Dans la grande maison de vitres encore ruisselantes, les enfants en deuil... » Rimbaud... Je ferme les yeux. Entre le rayon orange qui perce ma paupière et mon œil s'intercalent une maison de verre, la mèche de cheveux d'un orphelin, la pluie. Je rêve. Je suis comblée.

Ou bien, je rentre à la maison, je suis triste. Je viens de quitter quelqu'un dans un café, nous ne nous sommes pas compris. Je m'assieds dans un fauteuil, je regarde mes mains. Je ramasse un livre sur une table, j'ouvre au hasard : « ... dit la Duchesse. Et Dieu sait ce qu'il a pu être ennuyeux. Il ne serait pas plus stupide qu'un autre, s'il avait eu, comme tant de gens du monde, l'intelligence de savoir rester bête... » Je me mets à rire, je me laisse aller dans mon fauteuil, je suis Marcel Proust à la trace, je suis consolée.

Ou bien, je suis assise à une table, agitée. Je ne sais pas très bien ce que je fais là. On parle de signes astrologiques, j'ai envie de bâiller. Je me demande tout à coup qui a pu tuer la vamp dans le Hadley Chase que j'ai dû abandonner pour ce dîner. Et si c'était son impresario ? Ou le type aux yeux pâles qui ne la regardait jamais ? En tout cas voilà trois nuits que le détective n'a pas dormi... il est têtu. Ce doit être un Bélier. Et elle, la pauvre vamp, de quel signe était-elle ? Je m'ennuie moins, tout à coup. Je suis distraite. Je suis sauvée.

Ou c'est dimanche, il fait froid, je n'ai envie de voir personne mais la longue journée étale à venir me paraît comblée d'avance car j'ai un livre à lire de quelqu'un que j'aime lire. Ou je suis en voyage et je passe sans le voir devant un superbe panorama car j'ai le nez dans un livre. Ou il est quatre heures du matin, je dois me lever tôt mais je n'arrive pas à fermer mon livre car dans le beige, le silence, la solitude de l'aube, la voix de l'auteur me parvient, me retient, je l'écoute et nous restons les seuls êtres vivants à chuchoter dans cette ville morte.

Pourquoi les gens qui aiment lire, dont je suis, sont-ils tous si désarmés, si mal à l'aise quand on les prive de leur drogue quotidienne ? Je sais bien : la lecture aux yeux de ceux qui n'en ont pas besoin est une sorte de manie tranquille, d'habitude du coin du feu. Mais voilà : elle est pour ses sujets une passion des plus violentes et des plus périlleuses. J'ouvre un livre et un être humain me parle, aussi précisément, aussi sensiblement qu'il le peut, de tout ce qui me touche à cœur. De la vie, de la mort, de la solitude, de l'amour, de la peur, du courage. S'il est mort, je sais que de cette brève gambade sur notre globe terrestre et incompréhensible qu'aura été sa vie, il ne reste que cela : ces mots, ces mots usés par lesquels il aura essayé de s'expliquer à lui-même le pourquoi de ce passage – et peut-être de nous l'expliquer. Et s'il vit encore, je le regarde se débattre, s'enfoncer, pas à pas, fasciné devant les ans qui passent et ne répondent rien. Alors il crie, il rit ou il sanglote et sa voix dérisoire monte encore d'un ton. Dernier effort pour nier sa solitude ou pour la faire partager, il invente des héros, des jardins, des guerres, il les fait beaux, il les fait laids, il nous les montre, il nous les jette à la figure, il nous les donne. C'est toujours un cadeau. Il y a des cadeaux talentueux et des cadeaux minables, bien sûr. Mais il y a toujours le geste, la main tendue, l'envie de « partager ». Il y a des millions de gens avec qui j'ai « partagé » ainsi Stendhal ou les Russes, ou Fitzgerald, ou Apollinaire, des gens que je ne connais pas mais qui sont de ma famille, cette immense famille sentimentale de la lecture. Après une tiède enfance, et avant les brûlantes découvertes, à la puberté, du cœur et du corps, c'est peut-être le plus beau cadeau que peut vous faire la vie : ces kilomètres de peaux, de veines, de nerfs, alignés sagement en petits traits noirs sur des pages blanches, ces cercueils triomphants et croulants de fleurs imprévues : les livres, « les autres ».

LETTRES D'AMOUR, LETTRES D'ENNUI GEORGE SAND ET ALFRED DE MUSSET

Longtemps accessible en un seul jour, que ce soit sur un champ de bataille ou sur une scène de théâtre, la gloire n'est plus, aujourd'hui, qu'une célébrité qui survit à son créateur auprès de vivants, dont, bien sûr, lui-même ignore tout, dont il n'a jamais imaginé ni le physique ni le cerveau, mais de vivants qui savent son nom, la date de sa naissance, celle de sa mort, qui savent ses défauts, ses qualités, son talent, ses faiblesses, ses maladies et même ses amours les plus intimes.

Très curieusement, cette domination des survivants sur un mort, cette indiscrétion indéfiniment répétée au cours des siècles, très curieusement, cette gloire obligatoire et à l'avance assumée avec autant d'impuissance que d'ignorance, cette gloire future et inconsciente est très souvent le but, l'objet, le plus grand désir, pendant qu'ils vivent, de nombreux êtres humains. Comme si, en commentant, après, notre existence, des étrangers empêchaient qu'on l'ait perdue, tout autant que, pour que l'on se sente vivant, il faut que d'autres esprits se soucient qu'on le soit. En tout cas, des millions et des millions d'hommes sont morts pour cet écho, qui n'a résonné, d'ailleurs, que pour quelques milliers, et encore, souvent, ceux-là, ces glorieux-là, l'ignoraient-ils; et encore, parfois, ces glorieux-là ne le désiraient-ils même pas, cet écho ! ou encore, le désiraient-ils pour une autre raison que celle qui le leur avait fait avoir. Et cette gloire, d'ailleurs, quand elle s'attache à des écrivains et qu'elle est racontée ou donnée à voir aux écoliers français, leur fait des formes des plus étranges et je dirai même des plus saugrenues.

Car enfin, je me posais la question au sujet de Sand et de Musset, car enfin, quels héros nous a-t-on laissés au cours de nos pérégrinations différentes dans les lycées ou dans les cours catholiques, dans les écoles libres ou dans les écoles de l'État ? Quelle image nous a-t-on laissée de ceux qui furent nos ancêtres, ensuite nos idoles et, sur le moment, souvent, nos ennemis mortels, à force d'ennui ? Victor Hugo ? C'était un grand-père, un débonnaire vieillard un peu coquin et fabricant de millions et de millions de vers. Vigny ? Un grincheux dans sa tour d'ivoire. Balzac ? Un gros homme, amateur de cannes, qui buvait du café et écrivait toute la nuit. Baudelaire ? Un homme au teint cireux, amoureux fou d'une négresse et qui eut des ennuis avec la Justice. Stendhal ? Un consul inconnu, malheureux avec les femmes. Molière ? Un courtisan malgré lui, ridiculisé par ses maîtresses comme le pauvre Racine. Bizarrement, il n'y aurait guère que deux personnages, et des plus opposés, qui sembleraient correspondre à leur écho, à ce fameux écho : Michel de Montaigne qui passe toujours pour un homme de goût, vivant tranquillement à la campagne en y réfléchissant, et Rimbaud, demi-voyou, demi-poète, marchant à pied sur les routes de France et buvant plus que de raison avec son ami Verlaine. Ces deux-là, au moins, ont, semble-t-il (quand on lit plus tard leur œuvre, leur véritable destinée et quand on la lit par plaisir et non pas par devoir), ces deux-là, encore, ont quelque ressemblance avec leur « profil » scolaire.

Mais Sand, mais Musset, dont nous allons lire les lettres aujourd'hui ? Quel souvenir classique nous en reste-t-il donc ? Elle ? Une femme un peu forte, un peu bas-bleu, qui, à Paris, s'habillait en homme, fumait le cigare et était excentrique et qui, à la campagne, redevenait la bonne dame de Nohant : croquis déjà un peu paradoxal, il faut bien le reconnaître. Musset ? Un jeune poète foutraque et batailleur, phtisique et alcoolique, qui eut une histoire passionnelle avec ladite George Sand, et qu'elle trompa horriblement à Venise où ils vivaient ensemble, avec un nommé Pagello, médecin plus ou moins louche mais avec qui cette érudite amazone le ridiculisa longuement.

Je n'exagère qu'à peine. Tout écolier français, s'il a écouté et lu avec attention les propos de ses maîtres et les digressions de son manuel de littérature, garde un souvenir comico-horrifié du trio de Venise : l'infernal trio, l'infernal voyage, l'infernale Venise ! Au demeurant, si je me le rappelle bien, cette histoire ne dérangeait pas nos imaginations : George Sand, cette femme qui incendiait les sens et les cœurs quand elle était en ville, et qui se livrait à des travaux agricoles quand elle était aux champs, s'était comportée comme prévu dans cette vieille cité de Venise qui n'a vraiment rien de campagnard. Quant à ce pauvre Musset, il avait eu le malheur d'être là pendant l'une de ses phases incendiaires, voilà tout ! D'ailleurs, on confondait légèrement, dans nos têtes, la silhouette de Musset avec celle de Chopin : on prêtait aux deux la même pâleur romantique, la même toux, la même maigreur, le même côté nourrisson brailleur et talentueux que semblait affectionner spécialement cette rude femme (dont nous n'avions supporté qu'avec grandes difficultés *La Petite Fadette* et *La Mare au Diable*, nous demandant, une fois de plus, à la lecture de nos manuels, ce qui avait bien pu choquer les lecteurs de l'époque dans ces deux petites nouvelles des plus sages, voire même des plus assommantes...). Et, finalement, cette liaison cynique avec un bel Italien, devant un poète à demi mort, flattait le cynisme de mise à notre âge : George Sand en devenait presque une héroïne de série B américaine.

Pour expliquer cette image primaire et injuste flottante dans nos esprits, il faut bien dire qu'à l'époque de Sand, il n'y avait pas le moindre média pour suivre les péripéties amoureuses de nos écrivains. Bien sûr, à notre époque, *Paris-Match*, voire même *VSD*, et peut-être quelques autres journaux étrangers, auraient suivi à la trace les deux amoureux, auraient saisi au téléobjectif des gros plans de leurs disputes et, un beau jour, quelque paparazzo habilement déguisé en gondolier aurait présenté au monde du Tout-Paris, peut-être au monde entier, le profil plus ou moins mou du charmant médecin. Et peut-être cela aurait-il fait quelque beau scandale dont Messieurs les Académiciens de nos diverses académies et Messieurs les Chroniqueurs de nos diverses gazettes nous auraient abreuvés jusqu'à la satiété, Sand serait rentrée triomphalement à Paris et y aurait fait une déclaration fracassante, fort applaudie par des dames féministes ou trop trompées elles-mêmes. Quant à Musset, il aurait dû se cacher quelque temps à Saint-Tropez, avec quelque très jeune, très belle et très docile cover-girl, pour qu'on lui pardonne d'avoir été trompé de la sorte ! Pagello se serait vu offrir quelque jolie somme pour écrire ses Mémoires : peut-être, en France, par un *Express* devenu un peu plus libertin encore qu'il ne l'est ou peut-être, et pour la même raison, aux USA par *Vanity Fair* ! Hélas ! Hélas ! Il n'y avait pas, à l'époque, ou il y avait peu de ces hardis reporters, capables de filer des amoureux à la trace, de photographier malgré eux leur vie la plus intime, et de raconter sur leurs amours les détails les plus extravagants et les plus inintéressants.

Il manque à Sand, Musset et tant d'autres, ces hardis chroniqueurs dont nous disposons, Dieu merci, aujourd'hui, pour la plus grande joie des lecteurs. Ah ! – me disais-je encore avant-hier – si, à trente-deux ans, j'avais, comme George Sand, pris le chemin du Cap Cod avec le beau Jean-Marie Le Clézio, pour en revenir, laissant celui-ci en proie au béri-béri sur un grabat, pour en revenir, par exemple, au bras du Docteur Barnard (tant qu'à rêver, rêvons plaisamment !...) ah ! me disais-je, cela eût fait, je l'imagine, quelque raffut ! Quelque raffut, quelques scoops et quelques photos inoubliables, et mon nom, plus tard, dans les manuels scolaires (en admettant qu'un jour, par miracle, il s'y glisse et, ainsi, parvienne jusqu'à nos pauvres enfants, si on ne les atomise pas d'ici là), mon nom, donc, eût été, lui aussi, roulé dans la boue.

Et pourtant... et pourtant, dans mon cas, je ne sais pas ce qui se serait passé, mais, je peux l'affirmer d'ores et déjà, le lecteur le verra en lisant aujourd'hui les lettres de ces deux amants terribles – et pourtant, Sand ne méritait pas cette honte ni lui cette compassion : leur histoire fut naturellement et, comme toujours, très différente de celle que nous propose l'Histoire, avec son fameux grand H.

Avant donc de lire ces lettres, il faut nous mettre bien en tête les héros, les deux épistoliers, leur vie passée, leur vie présente, leur époque. Bien sûr, il est impossible de résumer si vite une époque si riche, si lyrique et si romantique. Mais disons simplement très vite que c'était une époque où le sentiment était roi. Chacun, chacune avait des sentiments et en parlait avec liberté, avec effusion et, bien entendu, très souvent, avec grandiloquence. Cela ne veut pas dire que tout un chacun racontait les faits, les événements de sa propre vie à un magnétophone ou à un nègre chargé d'en tirer un de ces livres – presque toujours fort plats et toujours légèrement impudiques ! Non ! Chacun, au contraire, écrivait, de lui-même, les sentiments que lui inspiraient les faits, les événements de sa vie et en recherchait surtout l'élan, la musique, chacun tentait de mettre son émotion sur des feuillets noircis de bougies mais que chacun cachait soigneusement dans ses tiroirs, ou lisait à voix basse à ses meilleurs amis. Écrire était un acte sacré, être imprimé était un idéal inaccessible et la littérature était considérée comme un art, un art réservé aux écrivains. Époque, comme on le voit, des plus retardataires, mais où fleurissaient quand même quelques beaux talents aussi évidents et divers que Stendhal, Flaubert, Hugo, et tant d'autres.

En 1832, George Sand avait publié *Indiana* qui avait fait scandale, car elle y parlait de sa vie en tant que femme, de femme pensante, nouvel objet qui déconcertait les messieurs, et Musset, lui, avait écrit *Namouna* dans la langue qui était la sienne et dont la beauté déconcertait ou ravissait les femmes comme les hommes. Il avait vingt-deux ans, elle en avait six de plus, et, bizarrement, l'avantage en revenait à elle. La jeunesse, à l'époque, n'était pas une vertu : ce n'était qu'un âge ignorant, agité et ennuyeux et qu'il fallait passer au plus vite. Néanmoins, Musset avait plu à Sand. Il lui avait plu parce qu'il était beau, parce qu'il était séduisant, parce qu'il était jeune et emporté, comme elle lui avait plu parce qu'elle était célèbre, parce qu'elle avait du charme, parce qu'elle était impulsive et bonne, parce qu'elle avait une colonne vertébrale que lui n'avait pas encore et qu'elle avait quelque chose de très chaud sans doute qui transparaissait sous son apparence de sérieux et de dignité. Sand, on le verra, n'avait pas plus à voir avec l'amazone excentrique de la ville qu'avec la paysanne trapue de la campagne. Elle était humaine, ironique, drôle, quelquefois, peut-être, un peu scolaire, mais c'était une vraie femme avec un vrai cœur, de vraies faiblesses et de vrais abandons; alors que lui était déjà un homme fait. Dans la mesure où ses appétits, ses sentiments et ses ambitions étaient déjà confondus, mélangés, indistinguables. Il était déjà cette espèce de magma étrange, pas toujours séduisant, qu'on appelle un homme de lettres, mais l'époque en débordait. Alors que Sand, elle, à Paris comme ailleurs, sous toutes les latitudes, était une des premières femmes de lettres; et elle avait encore toute la gaucherie, toute l'enfance, de cette nouvelle espèce qui venait de naître en même temps qu'elle, encore titubante d'une liberté qu'elle réclamait plus qu'elle ne l'obtenait et dont, seuls, pensait-elle, les hommes, ses hommes à elle, pouvaient comprendre la nécessité.

Donc, Musset, le jeune et instable, le poétique et poète Musset. Elle et lui étaient supposés former un nouveau couple, le nouveau couple, où la femme aurait les rênes, la force, la direction, et où l'homme, lui, serait l'objet, la soumission, la faiblesse. Mais ils étaient déjà, et malgré eux, et malgré tout ce que l'on pouvait en dire, ils étaient déjà, et encore, et surtout, l'autre couple, le couple immuable, le couple le plus vieux et le plus classique qui soit au monde.

Il y avait lui qui voulait prendre ce qu'elle voulait lui donner, lui qui voulait garder ce qu'elle lui avait déjà abandonné : il y avait lui qui se prêtait et elle qui se perdait. Il était le chasseur et elle était la proie, voilà tout. Et qu'il l'appelât George, mon petit garçon, mon petit copain, et qu'il eût mal au cœur sur les bateaux pendant qu'elle s'en moquait en fumant des cigares, et qu'il s'assît et s'allongeât plus volontiers qu'elle, et qu'il eût des caprices et des nerfs de femme, tout cela n'empêchait pas que ce fût lui, lui, qui fût le prédateur et que ce fût elle, elle, la victime; comme souvent, comme si souvent; comme toujours dans toutes les idylles vécues par des femmes et écrites par des hommes.

Musset n'était pas, je le crois, plus sensible à cette nouvelle femme douée, intelligente, à cette nouvelle race, à cette nouvelle espèce d'être sensible avec qui l'on pouvait partager sa vie et ses pensées; Musset n'était pas plus « féministe » dans ce sens-là, dans le sens noble du terme, que les féroces dandies du boulevard des Italiens. Il n'était pas plus sensible, il était simplement plus intelligent, plus ironique, il avait plus d'humour, et il devait trouver une sorte de plaisir amusé, peut-être pervers, en même temps qu'un charme d'enfance à se mettre à l'abri, apparemment, de cette femme aux larges et maternelles épaules, à jeter les armes, apparemment, et rester dénudé sous ses yeux impérieux et ses cheveux si noirs. Il devait trouver drôle d'être, apparemment, mené par le nez par quelqu'un dont il tenait le cœur dans son poing; cette défaite-là lui permettait de laisser accuser son âge de ses jeunes débauches, de ses vices rameutés. Il laissait tous ses défauts, comme autant d'alibis, répondre de sa conduite, ce qui était quand même, déjà, le comble du cynisme, et, s'il admettait en soupirant que l'égalité de George existât, il laissait aussi supposer qu'elle était bien sévère, presque aussi sévère que ses défauts à lui, qui étaient divertissants.

On le voit, il n'y avait pas là grande différence avec les siècles précédents, ni même avec celui qui suivit. Non qu'il s'agisse ici de souligner chez George Sand une de ces femmes féministes qu'elle ne fut, au demeurant, jamais, et que, pour ma part, je n'ai jamais, non plus, beaucoup tenté d'approcher. Mais il est bien vrai que la tentative de ce couple de garçonnets – ce couple d'égaux, ce couple équilibré homme/femme-femme/homme –, il est bien vrai que la tentative de ce couple fut aussi un marché de dupes, malgré deux intelligences extrêmement éveillées et deux personnalités pour une fois égales en force, en renommée et en prestige, voire en talent.

Car ils avaient, néanmoins, ensemble, une passion, une grande passion, mais qui, semble-t-il, s'établissait un peu à l'avantage de George Sand : c'était la littérature. Elle était son alliée alors qu'elle était très souvent l'ennemie fuyante et démoniaque du poète ; peut-être parce qu'il ne la poursuivait pas assez souvent, alors qu'elle-même y consacrait, quoi qu'il arrivât, trois heures de ses jours, tous les jours de sa vie. Peut-être aussi parce que la Littérature était un peu lasse de n'entendre s'élever partout, depuis le début des siècles, dans le brouhaha de l'histoire, que toutes ces grosses voix rauques et masculines, peut-être avait-elle envie d'un ton plus distrait ou plus futile ou plus dégagé ou plus sincère. Et là, peut-être était-ce, en fait, la force de Sand que cette sincérité qui la mettait au sommet dans ses œuvres et en enfer dans sa vie personnelle.

Qu'on ne s'y trompe pas : j'aime, c'est vrai, mille fois plus Musset que Sand : et dans leur œuvre, et dans leur personne, et dans leur personnage. J'aime mille fois mieux le versatile, l'inquiet, le fou, le désordre, l'alcoolique, l'excessif, le colérique, l'enfantin, le désespéré Musset que la sage, l'industrieuse, la bonne, la chaleureuse, la généreuse et l'appliquée Sand. Je donnerais toutes ses œuvres à elle pour une pièce de lui : il y a quelque chose dans Musset, une grâce, un désespoir, une facilité, un élan et une gratuité qui me fascineront toujours mille fois plus que toute l'intelligence et la raison et la poésie paisible de Sand. Il n'empêche qu'à lire ses lettres, j'aurais préféré, je dois le dire, être l'amie de Sand que celle de Musset. Il est plus facile, quand on a des amis, de consoler que de blâmer, et quand serait venu le moment de consoler Musset, j'aurais peut-être eu du mal à savoir de quoi je le consolerais mais aucun à savoir de quoi l'accuser. Elle, en revanche, elle souffrait d'amour, elle souffrait d'amitié, elle souffrait d'estime, elle souffrait de tout ce que j'aime et admire, alors que lui souffrait de tout ce que je redoute et méprise, mais parfois ressens.

Et le lecteur de ces lettres sera, lui aussi, incliné vers l'un ou l'autre, depuis sa naissance. Néanmoins, il faut les lire, je crois, comme on vit, finalement, sans songer à juger qui que ce soit. Il faudrait presque les lire sans savoir que c'était elle, George Sand, la plus grande romancière de son temps, et que c'était lui, Musset, le plus gracieux des poètes et le meilleur des auteurs théâtraux. Il faudrait presque oublier que cela se passait en 1833 ; mais cela, leur ton ne le laisse pas oublier. Et, bien sûr, par moments, on bâille et, bien sûr, par moments, on a envie de rire, et, bien sûr, par moments, on s'étonne de tant d'emphase, et, bien sûr, par moments, c'est plus la malice qui nous monte aux yeux que les larmes. Et pourtant, c'est une histoire triste. Ces deux amants se sont décidés à se quitter, à lâcher leur amour, non sans difficulté, car ils tiennent l'un à l'autre encore, ils ont des souvenirs âcres, et douloureux, et pénibles, qui leur serrent encore la mémoire et le cœur. Ils ont décidé de continuer, puisqu'ils s'estiment, de rester amis. Il y a donc l'une qui tente réellement cet essai et qui, lorsqu'il part, reste avec un autre compagnon, qu'elle n'aime pas mais qu'elle aime bien, et qui l'aide, et qui l'aime, lui. Et puis, il y a lui qui s'en va avec un grand air de désenchantement et même avec cet air, comment dire, imperceptible sous les remords, cet air de générosité et de grandeur, qui le fait ressembler furieusement au poète trompé des manuels scolaires que nous avons lus. Et puis, il y a, petit à petit, cet homme qui s'ennuie, qui ne trouve personne à Paris pour l'amuser ou pour le distraire autant qu'y parvenait cette femme qui avait quand même pour elle tous les prestiges de l'intelligence et de la sensibilité et ceux de l'amour qu'elle lui portait. Cet homme est à Paris, et il ne doit pas y avoir grand monde à Paris, il est un peu seul et il s'ennuie. Comme chaque fois qu'il s'ennuie, il n'a pas le courage d'épeler vraiment l'ennui, le mot *ennui* qui donne *e, 2 n, u, i, point.* Et l'ennui de lui-même, l'ennui qu'il s'inspire ou que sa vie lui inspire, il l'appelle l'ennui d'elle, parce que c'est la plus proche, parce que c'est la plus vraisemblable, parce que c'est la plus prestigieuse. Alors, il retombe, il décide de retomber, il se laisse aller, il se pousse à retomber amoureux de Sand. Et, petit à petit, ses lettres changent et plus la correspondance va, et plus cet homme qui, pourtant, avait abondamment et tout le long du voyage, brutalisé Sand, qui lui avait reproché sa froideur, qui lui avait reproché son peu d'adresse au lit, qui l'avait trompée avec toutes les putains de Venise, cet homme qui avait ridiculisé froidement et cyniquement leurs rapports charnels, cet homme donne délibérément dans sa conversation, dans ses lettres, une tournure sensuelle à des regrets précis. Et comme il a du talent, et comme il a du cœur et toutes les apparences du cœur, même si ce cœur ne bat que pour lui, il arrive à la toucher, il l'émeut.

Et il lui écrit, un jour, une superbe lettre d'amour, la seule peut-être de tout ce recueil qui soit complètement moderne et qui vous fasse dresser les cheveux sur la tête quand on la lit, parce qu'elle est terrible, qu'elle est terrible comme la passion. Seulement, elle est terrible aussi quand on la relit après la dernière lettre du volume de Musset, qu'on se dit : quand même, ce n'est pas possible, que s'est-il passé entre cette lettre-là qui tombait comme la foudre et qui laissait à cet amant nu, frissonnant sous la pluie, les regrets et le désir, qui le laissait les mains nues, le regard nu, qui le laissait les bras ouverts, prêt à tout, prêt à se donner enfin à quelqu'un, que s'est-il passé entre cette lettre-là et la dernière, si proche, où il se force à des commentaires sarcastiques sur lui-même, où il s'invente des remords, où il se joue une comédie furieuse à la seule fin de la tromper et de l'abandonner à jamais, maintenant qu'il l'a reconquise et que, de nouveau, elle souffre par lui ?

C'est que Musset, comme bien des artistes, n'est même pas un jeune homme : c'est un enfant, et un enfant à qui on ne doit pas prendre ses jouets. Un médecin vénitien a failli le faire, un jeune médecin italien maladroit et benêt a failli y arriver. Eh bien, comme il le laisse échapper au cours d'une de ses lettres, eh bien, lui, Musset, va lui prouver qu'on ne lui prend pas comme ça ses jouets. Et même s'il a souffert vraiment lorsqu'il écrivit cette lettre, cette fameuse et superbe lettre, il n'a pas souffert assez longtemps.

Parce que elle, elle a craqué en recevant ce cri d'amour où il savait enfin lui rappeler ce qu'elle n'avait jamais oublié complètement, c'est-à-dire que c'était lui qu'elle aimait et que l'autre, c'était l'ennui. Mais elle, l'ennui, elle a toujours su comment l'appeler, elle l'appelle l'ennui de Musset et là, elle, ne ment pas. Il l'a donc reprise, il l'a donc harcelée de fausses questions, de faux soupçons, de fausses supplications, de faux reproches, il l'a accablée, assaillie, épuisée. Elle n'a pas d'argent, ses enfants sont odieux, tout va mal et cet homme se déchaîne autour d'elle qu'il ne laisse pas respirer une seconde. Il ne la laisse même pas travailler, et ce « même pas » est terrible pour elle.

Elle a donc tout perdu, apparemment, puisque, à la fin, c'est lui qui s'en va, puisque c'est lui qui, le premier, avoue que leur vie à deux n'est pas possible (même s'il l'a suppliée de casser le cœur d'un autre homme pour sa fantaisie). Néanmoins, bien que ce soit lui qui parte, donc, après avoir, une deuxième fois, ravagé le terrain et laissé une terre nue et brûlée comme un Attila sentimental, néanmoins c'est quand même elle qui a le dernier mot : parce qu'elle récupère, à l'avant-avant-dernière lettre, je crois, ce qui fait sa force, son charme, et, subitement, le côté tellement moderne de ce livre : son ironie ! Ah, la terrible ironie de cette lettre que les lecteurs liront, j'imagine, avec la même stupeur et le même plaisir évident que moi. Eh oui ! Eh oui, c'est là que naît enfin, pour la première fois, cette fameuse femme moderne, cette fameuse femme libre, cette fameuse femme sujet et non plus objet, dont on nous a tellement rebattu les oreilles et dont Sand elle-même parlait avec trop d'emphase et pas assez de véracité. Cette fameuse femme est là, dans cette petite lettre, qui conseille tranquillement à Musset de se calmer. L'ironie, l'humour, tout ce qu'on croyait les armes réservées au monde masculin, l'ironie, la plaisanterie sont là, chez elle, dans sa lettre, en réponse à une lettre démoniaque et furieuse, et qui en devient ridicule, d'Alfred de Musset. C'est là, et uniquement là, qu'elle gagne. Bien sûr, elle gagne tout au long puisque c'est elle qui aime et lui qui se laisse aimer. Bien sûr, disait-on à l'époque et dira-t-on encore maintenant, bien sûr c'est l'amour qui apporte tout et l'indifférence qui vous laisse sur le sable. C'est possible, mais certaines défaites font de trop dures victoires, et celle de l'amour donné et rejeté ne m'a jamais paru, je dois le dire, des plus grisantes. Non, ce qui sauve Sand, c'est cette lettre. « Calmons-nous… calmons-nous ! calmons-nous ! À quoi jouons-nous ? Qu'avons-nous donc fait tous ces mois, avec ce papier blanc et bleu qui courait de Venise à Paris et de Paris à Venise, ce papier qui nous a fait nous rejoindre, qui a fait rejoindre ton corps et le mien, ta bouche et la mienne, tes cheveux et les miens, comme tu les réclamais tant, ces mots qui de nouveau les dénouent et les séparent ? Tout ce papier ! Tout ce papier ! Allons-nous vivre sur du papier toute notre vie ? Toi oui, Alfred, tu es fait pour ça, moi pas, je suis une femme. »

Et là, brusquement, le mot de femme redevient celui qu'il aurait dû être, qu'il devait toujours être, le nom d'une chose ronde qui ressemble à la Terre et qui s'appelle la Terre, qui s'appelait « Gé » pour les Grecs : et qui est ronde, et qui roule, et qui roule, et qui rit, et qui est prête à tout ramasser, à tout prendre, à tout porter. Mais, aussi, à tout basculer, à tout laisser basculer, dans le silence et le néant de l'oubli. Car Sand oubliera Musset, Sand aimera Chopin. Et Musset, lui, qui aimera-t-il après elle, quelle femme, quel ami, qui ?

C'est une question à laquelle il ne put répondre et à laquelle, en tout cas, l'Histoire elle-même n'a pas inventé de réponse.

Texte rédigé en préface à une édition des lettres de George Sand et Alfred de Musset (Éd. Hermann, 1985).

FITZGERALD LE MAGNIFIQUE

Voici un mariage unique de la mode et de la littérature tout exprès pour Femme. *Une nouvelle rare de Fitzgerald inspire à Sagan un portrait inédit de l'écrivain américain. Et suggère à Peggy Roche plus qu'une mode, un style coupé dans le droit fil des héros fitzgeraldiens.*

À vingt-cinq ans, F. Scott Fitzgerald était beau – mais il plaisait. Il était talentueux – mais il avait du succès. Il était amoureux de sa femme – mais elle l'aimait aussi. Il gagnait beaucoup d'argent – mais il aimait le luxe. Il aimait les gens – mais les gens l'aimaient. Il était jeune – mais il aimait faire des bêtises. Il aimait l'alcool – mais il le supportait bien.

Si je dis « mais » au lieu de « et », c'est en pensant à bien des biographes, bien des critiques, bien des historiens et à leurs lugubres et communes théories sur la création : l'artiste, à leurs yeux, doit être malheureux. Et de jubiler sur la tuberculose de Musset, la mélancolie de Baudelaire, les insuccès de Stendhal ou les créanciers de Balzac. On les comprend : le talent étant indéfinissable, insaisissable et immérité, il doit avoir sa sanction. Or, la vie de Scott Fitzgerald pendant vingt ans fut un défi à cette jalouse et triste moralité.

On peut même se demander si Scott Fitzgerald n'avait pas eu le bon goût de sombrer dans l'alcoolisme en même temps que sa femme dans la folie, on peut se demander s'il aurait eu droit à sa place sur les étagères de la littérature. Imaginez qu'il ait fini vieux, heureux et talentueux dans un ravissant cottage du Connecticut ! Les cheveux s'en dressent sur la tête.

Déjà, on lui fit payer cher ses vingt ans lumineux. Frivole, a-t-on dit de lui, comme si le bonheur pouvait être frivole. Blasé, comme si l'alcoolisme pouvait être blasé ; faible, comme si l'écrivain pouvait être faible ; étriqué, comme si la grâce pouvait être étriquée. En vérité, il manquait un défaut à Fitzgerald : l'égoïsme. Il se passionnait pour sa vie autant que pour son œuvre. Il était sensible à ses proches autant qu'à ses héros. Il ne voulait pas que la gloire fût le deuil éclatant du bonheur, mais il voulait qu'elle en fût l'écho.

Et en fait, ce fut le hasard qui lui enleva l'un et l'autre, un hasard bien-aimé qui s'appelait Zelda et pour laquelle il mourut comme il avait vécu. Les vrais écrivains ne sont pas supposés être de vrais amoureux, mais Fitzgerald était l'un et l'autre : c'est ce qui l'a perdu.

Mais c'est ce qui donne à ses livres cette habileté naïve, cette tonalité introuvable partout ailleurs, cette étrange douceur crispée, cette lumineuse mélancolie : bref, ce charme imparable qui lui fait envier, par ses pairs, et ses fêlures et sa chute.

LETTRE À JEAN-PAUL SARTRE

Cher Monsieur,

Je vous dis « cher Monsieur » en pensant à l'interprétation enfantine de ce mot dans le dictionnaire : « un homme quel qu'il soit ». Je ne vais pas vous dire « cher Jean-Paul Sartre », c'est trop journalistique, ni « cher Maître », c'est tout ce que vous détestez, ni « cher confrère », c'est trop écrasant. Il y a des années que je voulais vous écrire cette lettre, presque trente ans, en fait, depuis que j'ai commencé à vous lire, et dix ans ou douze ans surtout, depuis que l'admiration à force de ridicule est devenue assez rare pour que l'on se félicite presque du ridicule. Peut-être moi-même ai-je assez vieilli ou assez rajeuni pour me moquer aujourd'hui de ce ridicule dont vous ne vous êtes, toujours superbement, jamais soucié vous-même.

Seulement, je voulais que vous receviez cette lettre le 21 juin, jour faste pour la France qui vit naître, à quelques lustres d'intervalle, vous, moi, et plus récemment Platini, trois excellentes personnes portées en triomphe ou piétinées sauvagement – vous et moi uniquement au figuré, Dieu merci – pour des excès d'honneur ou des indignités qu'elles ne s'expliquent pas. Mais les étés sont courts, agités et se fanent. J'ai fini par renoncer à cette ode d'anniversaire, et pourtant il fallait bien que je vous dise ce que je vais vous dire et qui justifie ce titre sentimental.

En 1950, donc, j'ai commencé à tout lire, et depuis, Dieu ou la littérature savent combien j'ai aimé ou admiré d'écrivains, notamment parmi les écrivains vivants, de France ou d'ailleurs. Depuis, j'en ai connu certains, j'ai suivi la carrière des autres aussi, et s'il en reste encore beaucoup que j'admire en tant qu'écrivains, vous êtes bien le seul que je continue à admirer en tant qu'homme. Tout ce que vous m'aviez promis à l'âge de mes quinze ans, âge intelligent et sévère, âge sans ambitions précises donc sans concessions, toutes ces promesses, vous les avez tenues. Vous avez écrit les livres les plus intelligents et les plus honnêtes de votre génération, vous avez même écrit le livre le plus éclatant de talent de la littérature française : *Les Mots*. Dans le même temps, vous vous êtes toujours jeté, tête baissée, au secours des faibles et des humiliés, vous avez cru en des gens, des causes, des généralités, vous vous êtes trompé parfois, ça, comme tout le monde, mais (et là contrairement à tout le monde) vous l'avez reconnu chaque fois. Vous avez refusé obstinément tous les lauriers moraux et tous les revenus matériels de votre gloire, vous avez refusé le pourtant prétendu honorable Nobel alors que vous manquiez de tout, vous avez été plastiqué trois fois lors de la guerre d'Algérie, jeté à la rue sans même sourciller, vous avez imposé aux directeurs de théâtre des femmes qui vous plaisaient pour des rôles qui n'étaient pas forcément les leurs, prouvant ainsi avec faste que, pour vous, l'amour pouvait être au contraire « le deuil éclatant de la gloire ». Bref, vous avez aimé, écrit, partagé, donné tout ce que vous aviez à donner et qui était l'important, en même temps que vous refusiez tout ce que l'on vous offrait et qui était l'importance. Vous avez été un homme autant qu'un écrivain, vous n'avez jamais prétendu que le talent du second justifiait les faiblesses du premier ni que le bonheur de créer seul autorisait à mépriser ou à négliger ses proches, ni les autres, tous les autres. Vous n'avez même pas soutenu que se tromper avec talent et bonne foi légitimait l'erreur. En fait, vous ne vous êtes pas réfugié derrière cette fragilité fameuse de l'écrivain, cette arme à double tranchant qu'est son talent, vous ne vous êtes jamais conduit en Narcisse, pourtant un des trois seuls rôles réservés aux écrivains de notre époque avec ceux de petit maître et de grand valet. Au contraire, cette arme supposée à double tranchant, loin de vous y empaler avec délices et clameur comme beaucoup, vous avez prétendu qu'elle vous était légère à la main, qu'elle était efficace, qu'elle était agile, que vous l'aimiez, et vous vous en êtes servi, vous l'avez mise à la disposition des victimes, des vraies à vos yeux, celles qui ne savent ni écrire, ni s'expliquer, ni se battre, ni même parfois se plaindre.

En ne criant pas après la justice parce que vous ne vouliez pas juger, ne parlant pas d'honneur, parce que vous ne vouliez pas être honoré, n'évoquant même pas la générosité parce que vous ignoriez que vous étiez, vous, la générosité même, vous avez été le seul homme de justice, d'honneur et de générosité de notre époque, travaillant sans cesse, donnant tout aux autres, vivant sans luxe comme sans austérité, sans tabou et sans fiesta sauf celle fracassante de l'écriture, faisant l'amour et le donnant, séduisant mais tout prêt à être séduit, dépassant vos amis de tous bords, les brûlant de vitesse et d'intelligence et d'éclat, mais vous retournant sans cesse vers eux pour le leur cacher. Vous avez préféré souvent être utilisé, être joué, à être indifférent, et aussi, souvent être déçu à ne pas espérer. Quelle vie exemplaire pour un homme qui n'a jamais voulu être un exemple !

Vous voici privé de vos yeux, incapable d'écrire, dit-on, et sûrement aussi malheureux parfois qu'on puisse l'être. Peut-être alors cela vous fera-t-il plaisir ou plus de savoir que partout où j'ai été depuis vingt ans, au Japon, en Amérique, en Norvège, en province ou à Paris, j'ai vu des hommes et des femmes de tout âge parler de vous avec cette admiration, cette confiance et cette même gratitude que celle que je vous confie ici.

Ce siècle s'est avéré fou, inhumain, et pourri. Vous étiez, êtes resté, intelligent, tendre et incorruptible.

Que grâces vous en soient rendues.

*

* *

J'écrivis cette lettre en 1980 et la fis publier dans *L'Égoïste*, le bel et capricieux journal de Nicole Wisniack. Bien entendu, j'en demandai d'abord la permission à Sartre, par personne interposée. Nous ne nous étions pas vus depuis près de vingt ans. Et même alors, nous n'avions partagé que quelques repas avec Simone de Beauvoir et mon premier mari, repas vaguement contraints ; quelques cocasses rencontres dans des mauvais lieux délicieux de l'après-midi, où Sartre et moi faisions semblant de ne pas nous voir ; et un déjeuner avec un charmant industriel vaguement entiché de moi et qui lui proposa de diriger une revue de gauche que lui-même financerait avec joie (mais ledit industriel étant parti changer son disque de stationnement entre le fromage et le café, Sartre en fut découragé et amusé jusqu'au fou rire ; de toute manière, de Gaulle arriva peu à peu et ce fut la conclusion définitive de cet irréalisable projet).

Après ces quelques contacts brefs, nous ne nous étions pas vus depuis vingt ans et tout le temps, je voulais lui dire, tout le temps, ce que je lui devais.

Sartre, aveugle, se fit donc lire cette lettre et demanda à me voir, à dîner avec moi en tête à tête. J'allai le chercher boulevard Edgar-Quinet où je ne passe plus jamais maintenant sans un serrement de cœur. Nous allâmes à La Closerie des Lilas. Je le tenais par la main pour qu'il ne tombe pas, et je bégayais d'intimidation. Nous formions, je crois, le plus curieux duo des lettres françaises, et les maîtres d'hôtel voletaient devant nous comme des corbeaux effrayés.

C'était un an avant sa mort. C'était le premier d'une longue série de dîners, mais je ne savais rien de tout cela. Je croyais qu'il ne m'invitait que par gentillesse et je croyais aussi qu'il mourrait après moi.

Nous dinâmes ensemble presque tous les dix jours ensuite. J'allais le chercher, il était tout prêt dans l'entrée, avec son duffle-coat, et nous filions comme des voleurs, quelle que fût la compagnie. Je dois avouer que, contrairement aux récits de ses proches, aux souvenirs qu'ils ont de ses derniers mois, je n'ai jamais été horrifiée ni accablée par sa manière de se nourrir. Tout zigzaguait un peu, bien sûr, sur sa fourchette, mais c'était là le fait d'un aveugle, non d'un gâteux. J'en veux beaucoup à ceux qui dans des articles ou des livres, se sont plaints, désolés et méprisants, de ces repas. Ils auraient dû fermer les yeux si leur vue était si délicate et l'écouter. Écouter cette voix gaie, courageuse et virile, entendre la liberté de ses propos.

Ce qu'il aimait entre nous, me disait-il, c'est que nous ne parlions jamais des autres et de nos relations communes : nous nous parlions, disait-il, comme des voyageurs sur un quai de gare… Il me manque. J'aimais le tenir par la main et qu'il me tînt par l'esprit. J'aimais faire ce qu'il me disait, je me fichais de ses maladresses d'aveugle, j'admirais qu'il ait pu survivre à sa passion de la littérature. J'aimais prendre son ascenseur, le promener en voiture, couper sa viande, tenter d'égayer nos deux ou trois heures, lui faire du thé, lui porter du scotch en cachette, entendre de la musique avec lui, et j'aimais plus que tout l'écouter. J'avais beaucoup de peine à le laisser devant sa porte, debout, quand je partais, les yeux dans ma direction et l'air navré. J'avais chaque fois l'impression, malgré nos rendez-vous précis et prochains, que nous ne nous reverrions pas; qu'il en aurait assez de

« l'espiègle Lili » – c'était moi – et de mes bafouillages. J'avais peur qu'il nous arrivât quelque chose, à l'un ou à l'autre. Et bien sûr, la dernière fois que je le vis, lui à la dernière porte attendant avec moi le dernier ascenseur, j'étais plus rassurée. Je pensais qu'il tenait un peu à moi, je ne pensais pas qu'il lui faudrait bientôt tenir tant à la vie.

Je me souviens de ces étranges dîners, gastronomiques ou pas, que nous faisions dans les restaurants discrets du XIVe arrondissement. « Vous savez, on m'a lu votre "lettre d'amour" une fois, m'avait-il dit au tout début, ça m'a beaucoup plu. Mais comment demander qu'on me la relise pour que je me délecte de tous vos compliments ? J'aurais l'air d'un paranoïaque ! » Alors, je lui avais enregistré ma propre déclaration – il m'avait fallu six heures tant je bégayais – et j'avais collé un sparadrap sur la cassette pour qu'il la reconnaisse au toucher. Il prétendit ensuite l'écouter parfois, ses soirs de dépression, tout seul – mais c'était sans aucun doute pour me faire plaisir. Il disait aussi : « Vous commencez à me couper des morceaux de steak beaucoup trop gros. Est-ce que le respect se perd ? » Et comme je m'affairais sur son assiette, il se mettait à rire. « Vous êtes quelqu'un de très gentil, non ? C'est bon signe. Les gens intelligents sont toujours gentils. Je n'ai connu qu'un type intelligent et méchant, mais il était pédéraste et il vivait dans le désert. » Il en avait assez aussi des hommes, de ces anciens jeunes hommes, de ces garçons, de ces anciens garçons qui le réclamaient comme père, lui qui n'aimait et n'avait jamais aimé que la compagnie des femmes, « Ah, mais ils me fatiguent ! disait-il ; c'est ma faute, Hiroshima..., c'est ma faute, Staline, c'est ma faute leur prétention, c'est ma faute leur bêtise... » Et il riait de tous les détours de ces faux orphelins intellectuels qui le voulaient pour père. Père, Sartre ? Quelle idée ! Mari, Sartre ? Non plus ! Amant, peut-être. Cette aisance, cette chaleur que même aveugle et à demi paralysé il montrait envers une femme était révélatrice. « Vous savez, quand il m'est arrivé cette cécité et que j'ai compris que je ne pourrais plus écrire (j'écrivais alors dix heures par jour depuis cinquante ans, et c'étaient les meilleurs moments de ma vie), quand j'ai compris que c'était fini pour moi, j'ai été très frappé et j'ai même pensé à me tuer. »

Et comme je ne disais rien et qu'il me sentait terrifiée à l'idée de son martyre, il ajouta : « Et puis je n'ai même pas essayé. Voyez-vous, j'ai toute ma vie été si heureux, j'ai été, j'étais jusque-là un homme, un personnage tellement fait pour le bonheur ; je n'allais pas changer de rôle tout à coup. J'ai continué à être heureux, par habitude. » Et moi, quand il disait ça, j'entendais aussi ce qu'il ne disait pas : pour ne pas détruire, ne pas désoler les miens, les miennes. Et surtout ces femmes qui lui téléphonaient à minuit parfois quand nous rentrions de nos dîners, ou dans l'après-midi quand nous prenions le thé et que l'on sentait si exigeantes, si possessives, si dépendantes de cet homme infirme, aveugle, et dépossédé de son métier d'écrire. Ces femmes qui, par leur démesure même, lui restituaient la vie, sa vie de jusqu'alors, sa vie d'homme à femmes, coureur, menteur, compatissant ou comédien.

Puis il partit en vacances, cette dernière année, des vacances partagées entre trois femmes et trois mois, qu'il affrontait avec une gentillesse et un fatalisme sans faille. Tout l'été, je le crus un peu perdu pour moi. Puis il revint et nous nous revîmes. Et cette fois j'étais, je le pensais, « pour toujours », à présent : pour toujours ma voiture, son ascenseur, le thé, les cassettes, cette voix amusée, parfois tendre, cette voix sûre. Mais un autre « pour toujours » était déjà prêt, hélas, pour lui seul.

J'allai à son enterrement sans y croire. C'était pourtant un bel enterrement, avec des milliers de gens disparates qui l'aimaient aussi, le respectaient, et qui l'accompagnèrent sur des kilomètres jusqu'à sa terre dernière. Des gens qui n'avaient pas eu la malchance de le connaître et le voir toute une année, qui n'avaient pas cinquante clichés déchirants de lui dans la tête, des gens à qui il ne manquerait pas tous les dix jours, tous les jours, des gens que j'enviais, tout en les plaignant.

RENCONTRE

Françoise Sagan, qui vient de publier De guerre lasse, *aura bientôt cinquante ans. Mais le titre de son dernier roman n'est pas un aveu. Sagan n'est lasse de rien. Elle confesse avoir toujours le même goût de vivre, et le même souci d'écrire.*

Entretien avec Josyane Savigneau et François Bott.

– *Le mois prochain, vous allez avoir cinquante ans, vous ne le cachez pas, et vous publiez cette semaine un livre qui a pour titre* De guerre lasse. *Est-ce un symbole – et un aveu ?*

– Pas du tout. J'ai l'impression que mon premier livre, les événements qui m'ont fait connaître, cela s'est passé il y a dix ans. Et j'ai le sentiment que c'est trente ans que je vais avoir… l'année prochaine.

– *Trente ans, c'est la durée du phénomène littéraire Sagan. Comment le voyez-vous ?*

– La presse, les gens, en ont fait peut-être un phénomène. Je suis un écrivain dont on lit les livres. Cela n'a rien de phénoménal. C'est ce qu'on peut appeler un destin si l'on est romantique et un peu emphatique ; une carrière, si l'on est cynique et pratique ; un accident, si l'on n'aime pas mes livres ; une bonne chose, si on les aime ; une réussite, si l'on se place du point de vue du succès…

– *Un succès qui a traversé plusieurs générations.*

– N'exagérons rien. J'ai commencé à publier à dix-neuf ans. Les gens qui avaient vingt ans à ce moment-là ont évidemment mon âge maintenant, cela ne fait guère qu'une génération. Je ne suis quand même pas Hugo. Je suis écrivain depuis trente ans, mais il y a des auteurs qui commencent à écrire à vingt-cinq ans et qui sont encore là à soixante-dix ans, bon pied bon œil. Je ne suis pas spécialement un archétype de longévité littéraire.

– *De* Bonjour tristesse *à* De guerre lasse, *il y a comme un curieux écho. Entre les deux, il y eut* Un certain sourire *et, jusqu'à* Avec mon meilleur souvenir, *quelque vingt-cinq autres livres, en passant par* Des bleus à l'âme *et* le Lit défait. *Pourrait-on tracer une sorte d'itinéraire personnel à travers ces titres ?*

– On pourrait essayer. Mais je dois avouer que j'en ai emprunté beaucoup... À Paul Eluard, *Bonjour tristesse* et *Un peu de soleil dans l'eau froide* ; à Racine, bien sûr, *Dans un mois, dans un an* ; à Baudelaire, *Ces merveilleux nuages*... Mais *les Bleus de l'âme, le Lit défait*, c'est moi, *la Chamade* aussi.

– *Beaucoup expriment le goût de ce qu'il y a de plus mobile, de plus fugitif...*

– Ils donnent le sentiment de l'éphémère, oui. Mais c'est bien ce que nous sommes, ne croyez-vous pas ? Des événements éphémères.

– *Vous vous placez, semble-t-il, dans une tradition littéraire, qui vient de* la Princesse de Clèves, *en passant par* Adolphe *et* le Diable au corps. *Un type de roman français, souvent bref, qui tend, pour paraphraser Zweig, à une sorte de confusion des sentiments et qui aime allier une extrême tendresse à une extrême cruauté.*

– Dans toute histoire d'amour à trois personnages – et c'est le cas dans *De guerre lasse* – il y en a un qui se trouve écarté. C'est une forme de cruauté. Mais je ne sais pas si cela me place pour autant dans cette tradition. Ce qui, en revanche, me rattache à une certaine tradition littéraire française, c'est l'attention que je porte à l'écriture. J'aime les livres bien écrits, et pour les miens je m'y attache.

– *Vous-même avez situé vos livres : ni Proust ni roman de gare... Quel est donc votre « genre de littérature » ?*

– Ce n'est pas un « genre de littérature ». C'est une littérature qui est la mienne. Et que je juge honnête parce qu'elle n'excède pas ses prétentions. Je ne cherche pas à délivrer de message, à faire autre chose qu'écrire. Cela dit, la lucidité n'implique pas une modestie outrée. Je considère que j'ai du talent. Plus de talent que beaucoup de gens ne le disent. Et peut-être moins que certains ne l'affirment.

– *Reste que toutes vos publications ont été des succès. Vous avez été, et restez une image. Vos aînés vous voyaient comme une sorte d'enfant terrible. Et ceux de votre génération ? Comme l'emblème d'une liberté qu'ils n'ont pas osé affronter ?*

– Maintenant, je ne sais pas. Mais, à la parution de *Bonjour tristesse*, cela ne s'est pas posé en termes de génération. Jeunes ou pas, certains étaient indignés. Dans ma classe, il y avait ceux qui disaient : « *C'est honteux* » et des parents affolés. Et d'autres qui trouvaient cela plutôt amusant. Beaucoup de gens de mon âge respiraient : « Ouf, enfin, on admet qu'on existe. »

– *Pensez-vous avoir amorcé ce qui a eu lieu par la suite, ce qu'on a appelé la libération des mœurs ou la révolution sexuelle ?*

– Je n'ai pas été la seule. Bardot, sans doute, l'a fait autant que moi, d'une certaine manière. Et puis ce n'est pas grand-chose à côté de la pilule. Il n'est d'ailleurs pas dit que nous ayons amorcé quelque chose de tellement épatant, puisque l'amour physique, d'interdit qu'il était il y a vingt ou trente ans, est devenu quasi obligatoire. Il n'est pas évident que ce soit un mieux. Ne pas faire les choses qu'on souhaite, c'est à la rigueur supportable, mais devoir faire ce dont on n'a pas envie, c'est franchement assommant. Trop souvent, aujourd'hui, les filles qui, à dix-huit ans, ne font pas l'amour sont tenues pour ridicules. Le sexe obligé, je trouve cela mortellement ennuyeux.

– *Si* Bonjour tristesse *a annoncé une révolution – ou au moins une évolution –, de quoi témoigne le reste de votre œuvre ?*

– Je ne nie pas ce qu'a provoqué *Bonjour tristesse.* Je nie seulement y avoir pensé. Je voulais écrire un livre littéraire. Ensuite, j'ai continué à vouloir faire de vrais romans, avec des personnages qui se tiennent, une atmosphère. Je n'ai jamais été attirée que par la littérature.

– *Alors votre dernier titre,* De guerre lasse, *n'est pas un signe de votre attitude actuelle face à la vie ?*

– Certainement pas. C'est une curieuse expression, qui m'a séduite. On devrait dire *« las de la guerre »*. Un archaïsme fait qu'on accorde l'adjectif avec le nom « guerre ». De guerre lasse, c'est être las de résister. Dans mon roman, le héros, Charles, parce qu'il est las de résister, entre dans la Résistance. Le jeu de mots m'a amusée. Mais bien sûr le livre dit autre chose. Comment l'indifférence, la vie « en roue libre », s'effritent devant les preuves de l'insupportable ? Moi, je ne me sens lasse de rien. Et surtout pas de la vie.

– *Vous n'avez rien perdu de votre enthousiasme, de votre goût du jeu, de la vitesse, de la fête ?*

– J'étais certainement moins enthousiaste à vingt ans que maintenant. Enthousiasme n'est d'ailleurs pas le mot qui convient. Je veux seulement dire qu'on est beaucoup plus encombré de soi-même à vingt ans que plus tard. La phrase de Nizan. « *J'avais vingt ans. Je ne laisserai personne dire que c'est le plus bel âge de la vie* »[1] est devenue un lieu commun, mais je la crois juste. La vie me paraît plus facile à prendre qu'à vingt ans.

– *Donc aucune nostalgie ?*

– Du passé ? Non. Mais il y a des choses que je regrette. Les moments où, quand on dansait, on dansait à deux, et non pas, comme maintenant, seul. Je n'aime pas les formes actuelles, techniques, de solitude. Comme écouter de la musique, dans la rue, avec un casque sur les oreilles. Je trouve cela triste. Je regrette aussi les routes vides où on allait vite et les plages vides où se baigner. Je regrette des espaces, et du temps. Mais je n'ai pas de nostalgies sentimentales. Ce n'est pas comme si le bonheur était derrière. Pas du tout.

– *L'an dernier vous avez publié un livre inhabituel, dans votre œuvre, tout entière de fiction.* Avec mon meilleur sou-

1. *Aden-Arabie,* de Paul Nizan Rieder, 1932. Réédité par Maspero en 1960 avec un avant-propos de Jean-Paul Sartre.

venir. *Ce ne sont pas vraiment des Mémoires, mais tout de même, le temps de la mémoire est-il venu ?*

– Pas du tout. J'arrivais chez Gallimard et en attendant mon roman j'avais envie de donner un recueil d'articles. J'ai regardé ce que j'avais écrit dans tel ou tel journal. Rien ne convenait. C'était soit inactuel, soit sans intérêt. Et je ne pouvais pas donner des fonds de tiroir à Gallimard. J'ai donc fait un choix de gens que j'aimais et de sujets qui me plaisaient vraiment. Ce livre évoque certaines personnes qui sont mortes, mais il parle surtout de choses présentes. Le jeu m'amuse toujours autant, la vitesse et le théâtre aussi.

– *La mémoire, pas tellement...*

– Ah non, et le succès de ce livre, s'il m'a fait plaisir, m'a aussi agacée parce que j'avais écrit cela très facilement. Écrire des choses qu'on pense, c'est facile. Imaginer, c'est plus difficile. Je me disais : s'il suffit d'écrire des choses que l'on pense pour entendre crier au génie ou au moins au talent, ce n'est pas normal.

– *Parfois vous n'écrivez pas. Quand et pourquoi ?*

– Je n'écris pas parce que je suis quelqu'un de très paresseux. J'adore ne rien faire. Rester sur mon lit et regarder passer les nuages, comme dit l'autre, ou lire des romans policiers, ou aller me promener, voir des amis... Il y a un moment où des sujets me trottent par la tête, ou je commence à avoir de vagues idées, à voir de vagues silhouettes. Ça m'énerve. Puis il y a un moment où des pressions extérieures se manifestent... Le besoin d'argent, le fisc... Tout se conjugue et devient une énorme masse à laquelle je ne peux résister qu'en écrivant. Généralement, les nécessités extérieures et les envies intérieures se rejoignent pratiquement au même moment. Mais si l'influence extérieure est en avance sur l'exigence intérieure, alors là je m'arrache les cheveux, je me dis : je suis fichue, je n'ai plus d'inspiration, c'était un don du ciel qui est parti. C'est, à chaque fois, pis. Je suis persuadée que c'est fini. Et puis j'écris.

Ce sont les pressions du dehors qui m'obligent à passer à l'acte. C'est d'ailleurs pourquoi ma manière de vivre, qu'on m'a souvent reprochée, ma façon d'user de l'argent, de le jeter par les fenêtres au fur et à mesure, m'a en fait sauvée. J'aurais été en sécurité, j'aurais eu de l'argent pour le reste de mes jours, Dieu seul sait comment cela se serait terminé. Là, j'ai besoin tous les deux ou trois ans de me rassembler, de travailler, de m'échiner. Et c'est humiliant, échinant, un livre, surtout au début.

– *En somme, c'est chaque fois le début. Pourtant, il est bien là, ce demi-siècle de parcours. Si vous jetez un regard sur lui, comment le voyez-vous ?*

– Nous avons été de tels privilégiés qu'il est difficile de parler honnêtement. Le monde devient effrayant, les modes de vie aussi. Je ne crois pas que les gens eux-mêmes soient plus effrayants. Mais on a perverti les termes. On a remplacé les « pourquoi » par des « comment ». On ne dit plus *« pourquoi vivez-vous ? »*, mais *« comment vivez-vous ? »*.

– *Que voulez-vous dire par : « Nous avons été de tels privilégiés » ?*

– Au fond je sais qu'on devrait pousser des cris d'horreur, mais personnellement j'ai eu une vie... quand on fait le métier qu'on aime, quand on mène la vie qu'on désire, comme vous et moi, on est tellement privilégié qu'on ne peut que parler mollement de tout cela... le siècle, le demi-siècle, etc. Si on prend dix personnes sur cette planète, nous sommes ceux qui ont de la chance ; les autres, huit sur dix peut-être, ont une vie effroyable, et souvent une mort affreuse.

– *Donc, vous êtes contente de votre vie.*

– Oui, parfaitement.

– *Vous avez eu la liberté que vous souhaitiez.*

– Oui. Évidemment, j'ai eu une liberté amoindrie quand j'étais amoureuse de quelqu'un, que je tenais à quelqu'un et qu'il me tenait. Mais on n'est pas amoureux tout le temps, Dieu merci. Autrement, malgré l'amour et la maladie – je connais un peu les deux –, j'ai été heureuse. À part quelques passions contrariées, quelques accidents de voiture, quelques ennuis physiques, je n'ai connu que le meilleur de l'existence. Et je suis libre. Dès que j'ai commencé à lire, j'ai eu envie d'écrire. J'ai eu, comme tout le monde, à douze, treize ans, envie d'être géniale, célèbre. C'est à la fois enfantin et normal. Après je me suis rendu compte que la gloire ce n'était pas seulement les roses et les arcs de triomphe. J'ai fui, j'ai évité d'y penser, j'ai renoncé. Et puis il s'est trouvé que j'ai écrit et que le public a aimé ma littérature, m'a permis de vivre d'elle, sans que j'aie à faire autre chose ou à me plier aux *desiderata* de quelqu'un qui m'aurait fait vivre.

– *Sans vous conformer à des images ?*

– L'image qu'on a donnée de moi pendant des années n'est pas forcément celle que j'aurais souhaitée, par moments, mais finalement elle était plus plaisante que d'autres. Tout compte fait, whisky, Ferrari, jeu, c'est une image plus distrayante que tricot, maison, économies... De toute manière, j'aurais eu du mal à imposer celle-là.

LE QUESTIONNAIRE DE PROUST

Le nouveau Sagan arrive le 20 janvier ! En avant-première de ce roman très attendu (Un sang d'aquarelle, *Gallimard*), Femme *a soumis le questionnaire de Proust, son écrivain préféré, à la romancière. Françoise Sagan a d'ailleurs emprunté son nom de plume à un personnage de* la Recherche du temps perdu.

1987

1 – *Quel est pour vous le comble de la misère ?*
La maladie, la mort d'autrui, s'ennuyer avec soi.
2 – *Où aimeriez-vous vivre ?*
À Paris.
3 – *Quel est votre idéal de bonheur terrestre ?*
Il y en a trop.
4 – *Pour quelles fautes avez-vous le plus d'indulgence ?*
Les excès.
5 – *Quels sont vos metteurs en scène de cinéma favoris ?*
Schlesinger, Fellini, Truffaut.
6 – *Quels sont vos peintres favoris ?*
Pissarro, Sisley, Hooper.
7 – *Quels sont vos musiciens favoris ?*
Beethoven, Verdi, Fats Waller.
8 – *Quelle est votre qualité préférée chez l'homme ?*
L'imagination.

9 – *Quelle est votre qualité préférée chez la femme ?*
L'imagination.
10 – *Quels sports pratiquez-vous ?*
Autrefois, de plein air.
11 – *Seriez-vous capable de tuer quelqu'un ?*
J'espère que non, mais je crains que oui.
12 – *Quelle est votre occupation préférée ?*
Ne rien faire.
13 – *Qui auriez-vous aimé être ?*
Trop de gens.
14 – *Quel est le principal trait de votre caractère ?*
Un certain humour, peut-être.
15 – *Qu'appréciez-vous le plus chez vos amis ?*
La même chose.
16 – *Quel est votre principal défaut ?*
Un certain humour, sûrement.
17 – *Quelle est la première chose qui vous attire chez un homme ?*
La chaleur, le naturel, la force.
18 – *La couleur que vous préférez ?*
Rouge.
19 – *La fleur que vous préférez ?*
Rose.
20 – *Quels sont vos auteurs préférés en prose ?*
Proust… et cent autres.
21 – *Quels sont vos poètes préférés ?*
Baudelaire, Apollinaire, Eluard, Whitman, Racine.
22 – *Quels sont vos héros dans la vie réelle ?*
Les distraits.
23 – *Quels sont vos noms favoris ?*
Valparaiso, Syracuse, Santiago.

24 – *Que détestez-vous par-dessus tout ?*
L'assurance, la cruauté, la prétention.
25 – *Quel est le don de la nature que vous aimeriez avoir ?*
Jouer du piano.
26 – *Croyez-vous à la survie de l'âme ?*
Non.
27 – *Comment aimeriez-vous mourir ?*
Vite et agréablement.
28 – *État présent de votre esprit ?*
Épuisé et tourmentée par ce questionnaire.

Adorée du public comme des critiques, Françoise Sagan serait-elle devenue un mythe comme Colette en son temps ? En quelques mots (ses réponses au questionnaire de Proust), elle compose pour Femme *la même petite musique qui fait de son dernier roman (*La Laisse, *aux éditions Julliard) un énorme succès.*

La Princesse de Sagan

C'est à un personnage de son écrivain préféré, Marcel Proust, la princesse de Sagan dans À la recherche du temps perdu *– que Françoise Quoirez a emprunté son pseudonyme pour entrer en littérature avec* Bonjour tristesse.

1989

1 – *Quel est pour vous le comble de la misère ?*
La maladie, la solitude imposée.
2 – *Où aimeriez-vous vivre ?*
Ici.
3 – *Quel est votre idéal de bonheur terrestre ?*
Ici, maintenant.

4 – *Pour quelles fautes avez-vous le plus d'indulgence ?*
L'imprudence.
5 – *Quels sont vos metteurs en scène de cinéma favoris ?*
Truffaut, Welles, Mankiewicz.
6 – *Quels sont vos peintres favoris ?*
Pissarro, Sisley, Picasso, Bonnard.
7 – *Quels sont vos musiciens favoris ?*
Beethoven.
8 – *Quelle est votre qualité préférée chez l'homme ?*
La tolérance.
9 – *Quelle est votre qualité préférée chez la femme ?*
La tolérance.
10 – *Quels sports pratiquez-vous ?*
Équitation.
11 – *Seriez-vous capable de tuer quelqu'un ?*
J'espère que non mais crains que oui.
12 – *Quelle est votre occupation préférée ?*
Ne rien faire.
13 – *Qui auriez-vous aimé être ?*
[Sans réponse.]
14 – *Quel est le principal trait de votre caractère ?*
La paresse.
15 – *Qu'appréciez-vous le plus chez vos amis ?*
L'humour.
16 – *Quel est votre principal défaut ?*
L'humour.
17 – *Quelle est la première chose qui vous attire chez un homme ?*
La chaleur.
18 – *La couleur que vous préférez ?*
Rouge.

19 – *La fleur que vous préférez ?*
Rose.
20 – *Quels sont vos auteurs préférés en prose ?*
Proust.
21 – *Quels sont vos poètes préférés ?*
Rimbaud.
22 – *Quels sont vos héros dans la vie réelle ?*
Proust, Rimbaud.
23 – *Quels sont vos noms favoris ?*
[Sans réponse.]
24 – *Que détestez-vous par-dessus tout ?*
La curiosité, la prétention.
25 – *Quel est le don de la nature que vous aimeriez avoir ?*
L'ubiquité.
26 – *Croyez-vous à la survie de l'âme ?*
Non.
27 – *Comment aimeriez-vous mourir ?*
Vite.
28 – *État présent de votre esprit ?*
Bon mais épuisé par ces questions.

LETTRE D'ADIEU

Puisque nous ne nous aimons plus, puisque tu ne m'aimes plus en tout cas, je dois prendre des dispositions pour les funérailles de notre amour. Après cette longue nuit, chuchotante, et étincelante, et sombre que fut notre amour, arrive enfin le jour de ta liberté.

C'est alors que moi, restant seule propriétaire de cet amour sans raison, sans but et sans conséquence, comme tout amour digne de ce nom, moi propriétaire cupide, hélas, qui avais placé cet amour en viager – le croyant éternel puisque te croyant amoureux –, c'est alors que je décide, n'étant saine ni de corps ni d'esprit, et fière de ne pas l'être, je te lègue :

Le café où nous nous sommes rencontrés. Il y avait Richard avec moi et Jean avec toi, ou le contraire. Au coin de la rue d'Assas et de la rue de Seine[1], nous nous sommes vus, évalués et plu. Tu m'as dit : « Je vous connais sans vous connaître. Pourquoi riez-vous ? » Et je te répondis que je riais de cette phrase idiote. Après, tu me regardais, l'air penché ; et mystérieux, croyais-tu. Que vous êtes bêtes, vous, les hommes, et attendrissants à force !

1. Probablement au carrefour des rues de Rennes et d'Assas.

Une femme vous plaît et vous jouez aux détectives. Que vous cache-t-elle ? Alors qu'elle ne rêve que de se montrer à vous.

Engourdies, délirantes et seules,
Des femmes rêvent dans Paris,
Avec des regards d'épagneul,
et des mimiques de houri.

Ils partirent, Richard et Jean, nous laissant là. Tu pris ma main ou je pris la tienne. Je ne sais pas la suite. L'amour, c'est tellement ordinaire. Je passe sur la nuit.

Beau, tu étais beau,
Derrière toi bougeait le rideau
Fleuri de la maison de passe.

Tu me disais « Pourquoi pas avant ? Pourquoi jusque-là ? Pourquoi ce vent ? »

Passons. Il faut passer ; j'ai tant de choses à te léguer. La première maison, ce n'était rien. Nous n'habitions nulle part, nous habitions la nuit. À force d'amour, de cris et d'insomnies, nous devenions phosphorescents de corps, exsangues. Je devenais femme vestale. Des cigarettes abandonnées brûlaient doucement, comme moi, dans la nuit, sans s'éteindre. Tiens, je te lègue ça : un de ces mégots si longs, si écrasés, si significatifs. Te voilà bien loti : un café triste et un mégot. Je cherche des traces et je trouve des symboles. Je te hais. Comme toi, à l'époque, par moments, tu me haïssais.

Je ne peux pas supporter
Celle que tu as été
Mon cœur n'est pas si fort
Pour subir ton accord
Avec des étrangers
Des hommes abandonnés
Qui doivent se cacher
Et rechercher encore
L'accord que tu donnais
À ces mauvais pianistes
À ces exilés tristes.
Cet accord oublié.

Jaloux, oui, tu l'étais. Je te donne les lettres que tu as lues en douce, que tu n'as pas voulu détruire, par orgueil, par virilité, par bêtise, et que tu savais être là. Et moi, qui savais que tu savais, je n'osais plus, non plus, les jeter. Il y a un instant de l'amour, inévitable, où le pur instinct le plus pur devient mélodramatique ; et nous étions si convenables… Convenables, quel blasphème ! Convenables, que dis-je. Je n'en peux plus de tous tes airs d'homme. J'aimais l'enfant en toi, et le mâle et le vieillard possible. Pas cette figurine.

Je te lègue notre air, tu te rappelles ? On dansait, « Palala, Palala ». On dansait aussi, « Pala, Pala ». Nous dansions. J'étais fière de toi, tout le monde nous regardait. On regarde toujours, partout, les gens heureux. Les autres, ça les tue, ça leur brûle les yeux mais soi-même, on s'en moque. Palala, Palala… Cet air fut beau à danser. D'ailleurs, je te lègue délibérément tout ce qui fut beau, parce qu'il est aussi horrible de le supporter ailleurs sans toi que de le conserver ici pour moi.

Et puis l'imaginaire. Tu te rappelles ce dessin que nous avions tracé ensemble, un soir triste, sur un double papier et sans nous consulter ? C'était le même. Oh oui, je te le jure, nous nous sommes aimés. Deux lits de fer sur une plage. Deux têtes, l'une couleur de paille, l'autre, de fer. Deux corps au-dessus de la mer interdite léchant les pieds du lit. Tu avais acheté un pick-up. J'ignore quel disque tu y mettais. Moi, mon seul air, mon grand air, c'était ta voix, ta voix disant, « je t'aime ». Toi, tu avais dû prévoir du Mozart. Les hommes stylisent volontiers tandis que leurs femmes hurlent silencieusement à la lune. À ce sujet, tu avais oublié le soleil sur ton dessin ; jaune poussif, jaune poussin, jaune possédé, il éclairait le mien de ses rayons trop crus.

Tant que j'y suis, je te lègue ces mots embrouillés, confus, mortels, grâce auxquels tu m'expliquais tes absences. Je te lègue les « Rendez-vous d'affaires, démarches indispensables, contretemps fâcheux ». Ah, si tu savais, si tu avais su à quel point ces contretemps s'appelaient « contre-amour », et ces démarches, « férocités ». Je te lègue aussi les « Tu ne t'es pas ennuyée ? », les « Je suis désolé » qui suivaient ces contretemps. Oui, je m'étais ennuyée, non, j'étais plus que désolée. Je feignais de dormir. Je te lègue les draps où tu te réfugiais si soucieux, toi si bohème, de ne pas les secouer. Tu dormais. J'attendais que tu dormes pour ouvrir mes paupières. Le jour cru de mon amour m'obligeait à de silencieux incendies, des plaies, des escarres d'insomnie. Non, je ne te lègue pas ces aubes maladroites, rythmées par des cils clos du même effroi. Je te lègue, puisque tu es un homme, les honteux bandages dont tu entouras mes poignets, le soir où je jouai à mourir. Tu penchais la tête, tu tremblais, tu disais « Le sang est rouge à tes poignets, et tes bras sont raides. Il faudrait te reposer, et puis que l'on s'aide. » C'était un cri sincère ou pas, mais un cri ne veut rien dire de plus qu'un sourire. Il y a des sourires si las qu'ils vous feraient gémir et des cris comme des coups.

Et puis, mon amour, je crois qu'il me reste à te léguer ces mots si lourds d'électricité. Tu me disais « Tu ne dors pas, tu veilles, tu ne peux pas rêver. Le sommeil est un miel qu'on ne peut refuser. Tout cela n'est qu'un rôle. Je veux te voir dormir. » Tu avais raison, tu étais raisonnable, moi pas. Mais qui a raison, là, dans ce domaine ? Je te laisse la raison, la justification, la morale, la fin de notre histoire, son explication. Pour moi, il n'y en a pas, il n'y a jamais eu d'explication au fait terrifiant que je t'aime. Ni, non plus, pas du tout, mais pas du tout à ce que cela prenne fin. Et nous y sommes…

Ah, j'oubliais les coquillages. Tu te souviens de ces coquillages ? Parce que tu m'en voulais ; de quoi ? De cette plaie ouverte qui était notre passion, comme je t'en voulais moi-même. Nous nous étions jetés alors sur ces coquillages lugubres dont nous avions couvert nos oreilles pour ne plus nous entendre, pour ne plus entendre, en fait, le ressac de la mer, le ressac de l'amour et nos voix trop haut perchées tentant de surmonter le vent. Ces coquillages, donc, sont restés là, sur place, ou rejetés par nos mains puissantes et périssables lorsque nous avons admis ensemble, à force de nous voir devenus aveugles, sourds-muets et tristes, qu'ils étaient ridicules. Je te lègue ces coquillages. Ils sont sur la plage, ils t'attendent. C'est un beau cadeau que je te fais là. J'irais bien moi-même sur cette plage où il plut tant, où nous nous plûmes si peu, où rien n'allait plus.

Je ne te lègue plus rien. Tu le sais, il n'y a rien d'autre à léguer, rien de compréhensible, rien d'humain; surtout rien d'humain, parce que moi, je t'aime encore, mais cela, je ne te le lègue pas. Je te le promets : je ne veux pas te revoir.

LETTRE DE SUISSE

LE JEUNE INTELLECTUEL

Physiquement, il serait plutôt comme les autres. Plus question, en effet, de cape noire, d'yeux fous, et de sublime pâleur, sauf motivée. Ce jeune homme a la coupe de cheveux Saint-Germain, c'est-à-dire : ras, avec une petite pointe attendrissante sur le front; il porte, selon ses moyens, des chandails à col roulé, une cravate, une veste de tweed ou un imperméable, et s'enquiert de la couleur des feux avant de traverser les rues. Dans les bars, il prend whisky ou café, évite les apéritifs, s'occupe activement des machines à sous, sacrifiant volontiers vingt francs pour Gréco, Pee Wee Hunt, Bechet ou le Grisbi. Bref, se conduit comme n'importe quel jeune homme. Du point de vue historique, il avait, en 1940, dix ou quinze ans, de mauvaises notes en mathématiques, et sa mère disait fièrement qu'il aimait la lecture. Maintenant c'est un jeune intellectuel, c'est-à-dire qu'il s'occupe, vit et parle de la littérature. Ce qui consiste à :

a) être lecteur chez un éditeur;

b) écrire des notes critiques dans les revues;

c) éventuellement avoir écrit un livre ou deux.

De ce fait il est au courant de certaines choses. Par exemple qu'on appelle Gallimard : Gaston, et Sartre : Sartre.

Enfin que la vie est fatigante. « Ah, ah, s'écrient les affreux bourgeois, fatigué ! C'est le comble. Et fatigué de quoi faire ? D'ergoter ! » Or il n'y a rien de plus fatigant que d'ergoter. Et en dehors de la saine fatigue bien connue qui suit la création littéraire – la fatigue – que peut faire ce jeune homme toute la journée ? Il voit son éditeur le matin : il parle. Il déjeune avec un collègue : il parle. Il passe à sa revue : il parle. Aux cocktails : il parle. S'il était homme d'affaires, il aurait des chiffres, des faits. Mais non, il a des mots, des termes et tout le ramène inexorablement à la littérature, aux gens qui l'écrivent, à ceux qui la commentent, à ceux qui la vendent. C'est peut-être pourquoi il en est un peu écœuré. On s'imagine mal quel préjugé défavorable pèse sur ce terme d'intellectuel dans le milieu du même nom. Cela semble correspondre à d'affreux petits hommes ratiocinant dans une chambre, complètement desséchés et incapables d'écrire. Non, il faut de la violence pour écrire, un tempérament. D'ailleurs et bizarrement le jeune homme cinquante-cinq est modeste. Il ne croit pas à son génie. Le génie, il le reconnaît volontiers à ses aînés. Il dit : « Oui, évidemment, Malraux, c'est génial », en haussant les épaules de découragement. Le génie, il ne l'espère même plus. Il se sait seul et incommunicable. Il a, dans le temps, tout essayé : il a bu, il a eu des femmes, il a voyagé. Et il se retrouve, là, existant, se sentant exister, s'ennuyant un peu.

À ce moment-là, l'homme mûr, le parent (celui qui a fait 14) s'indigne. Voire s'affole : « C'est fou, ce manque de passion, d'élan, d'enthousiasme. Moi, à leur âge… », etc. Le jeune homme, quand il veut écouter et se chercher des excuses, ce qui arrive, Dieu merci, rarement, le jeune homme parle de son passé qui est la guerre, de son avenir qui est la bombe H. Ne devrait-il pas alors se dépêcher, mettre les bouchées doubles, manifester cette indécente avidité propre aux phtisiques ? Et pourquoi, et comment ? Ce jeune homme a le sens et le goût de la mesure, de la pudeur ; quoi qu'on en dise. La politique lui paraît bien instable ; il n'y a, à ce sujet, que des querelles dites de droite et de gauche que l'on règle par l'entremise gracieuse des journaux où l'on parle d'ailleurs plus souvent de Barrès que de Karl Marx. C'est bien connu : « Et que faites-vous de la tradition, de la langue française, de la psychologie ? crient les uns. Vive le XVIIIe et le XIXe siècle ! » – « Et, crient les autres, que faites-vous de la bombe atomique, de la vie, là, sous vos pieds ? Vive le XXe siècle ! »

Ça fait de belles disputes. Suivant ses goûts, le jeune homme fréquente des salons un peu mélangés de mondanités et de chapeaux à plumes, ou des salons sans chapeaux à plumes, ou des bars, ou des bistroquets. On se méprise un peu ou beaucoup, il y a quelques solides petites haines, on se voit sans cesse et on a aussi de très bons amis, tout va bien.

Il y a d'ailleurs des passions. Le jeune homme a en général deux solutions. Il ne s'agit plus de passions sans espoir pour des femmes maternelles. On ne rôdaille plus comme en 1825 autour des chaises longues d'une Madame Récamier. Le jeune homme – quand il est viril de goûts – l'est pour de bon. Soit il éprouve une passion pour une jeune fille capricieuse et lointaine, qui le fait souffrir, soit il partage sa vie avec une femme qui a les mêmes goûts que lui, intellectuels et sensibles, avec qui il fait couple. Elle est son amie aussi bien que sa femme. Le mépris des femmes n'a plus cours. Il lui est difficile – ne serait-ce qu'à cause de Simone de Beauvoir – de parler de la futilité, de l'indigence mentale des femmes. Il est parfaitement absurde de soutenir que cela supprime la galanterie et les mignardises de la Belle Époque. S'il se manifeste peu, un verre de whisky rend vite le jeune intellectuel sentimental. Il y a, dans ses rapports avec les femmes, une espèce de lucidité et de sincérité, en général accompagnées de beaucoup de bonne volonté. Le « don Juan » n'est plus à la mode. Dire d'un garçon qu'il est coureur n'a plus rien de romanesque. Mais s'il a une passion qui soit une passion, cela l'entoure d'un certain halo. C'est difficile, la passion, c'est rare. On en parle beaucoup.

Le jeune intellectuel est en général peu médisant, parfois par manque d'intérêt, parfois parce que certains aînés l'en fatiguent. On dit n'importe quoi de n'importe qui, quelquefois pour avoir l'air renseigné, quelquefois par méchanceté, le plus souvent parce que c'est drôle. Il y a certains impératifs à ne pas négliger :

– Le vocabulaire est inversé. Quand un livre est génial, on dit : « c'est bien », avec l'air sombre. Quand il n'est pas bien : « c'est d'une merveilleuse bêtise, d'une sensationnelle banalité », etc.

– Le cinéma est mieux que le théâtre. Le jeune intellectuel aime à être distrait de lui-même, donc absorbé. Ce qui donne toute priorité aux films américains, violents et sophistiqués, aux vamps et aux durs. Bien sûr il y a certains films graves qui sont « bien » ou « salement bien ». Mais le théâtre est moins apprécié, sauf certaines pièces, originales et parfois subtiles (tel l'excellent et drôle *Ping-Pong* d'Adamov) auxquelles il se précipite.

– Il faut voyager.

– On ne s'habille pas. On se vêt.

– Le whisky est buvable. Le reste pas. Ou alors du vin.

– Les journaux sont distrayants. On les lit tous. Mais il n'y en a pas un qui ne soit plus ou moins « vendu ». Pour les revues, *Les Temps modernes* ou *La Parisienne*, suivant le groupe auquel il appartient (voir plus haut).

– Picasso n'est pas un farceur. Il y a d'ailleurs peu de farceurs, plutôt des « salauds ». Les farceurs sont peu appréciés. L'humour doit être latent et non pas exploité.

Ajoutons qu'il n'est pas important d'être beau. Il suffit d'avoir une présence ; ou une voix. Les jeunes gens sémillants et foufous sont peu considérés. On danse peu, hélas ! Mais on est parfois très gai, en oubliant l'absurde de l'existence. On se retrouve alors si jeune, si insouciant, si propret, si fou de la vie. À faire honte aux parents. Ou alors il y a les soirées tristes. À l'aube, dans un café, sur une rue qui s'éteint, et un ciel qui s'éclaire, le jeune intellectuel découpe un visage las et humain… si humain. Il a dans sa main la main d'une jeune fille, ou d'une femme, il lui dit que l'amour est provisoire mais doux à prendre comme toutes les choses cruelles. Il se sent au cœur de Paris, au cœur de la fatigue, il est heureux. Demain, il aura son beau visage d'insomnie. Son éditeur lui dira : « Vous vous crevez, mon vieux. C'est très joli de vivre, mais vous n'avez pas le droit de gâcher ce que vous avez. » Le jeune homme ricanera un peu, mais il aura une bizarre impression de plaisir, parce qu'en général, ce qu'il aime, c'est écrire. Mais cela, il n'en parle jamais.

Le Nouveau Fémina, septembre 1955.

CONSEILS AU JEUNE ÉCRIVAIN QUI A RÉUSSI

Si vous avez réussi, je veux dire d'une manière assez évidente, et que vous n'êtes pas assez imbécile pour croire au mot réussite, il va vous arriver ceci : vous allez devenir un objet. Des inconnus vous traiteront comme un objet, si c'est leur métier ; et si ce n'est pas leur métier, comme une bête curieuse. D'abord, vous serez invité en représentation dans les salons mondains. On y dira n'importe quoi de vous, de votre vie, de vos aventures. On vous fera mille allusions aux grands écrivains qui, eux, étaient méconnus.

Bon. Vous quittez les salons, vous ne voulez plus avoir que des amis. Les amis, vous en aurez vite trop. Vous n'aurez plus à compter l'argent mais le temps.

Il y a cinquante mille personnes qui veulent vous voir parce qu'ils connaissent Untel qui vous connaît, cinquante mille personnes qui veulent de l'argent, qui en ont besoin, qui vous écrivent des lettres désespérantes au rythme de cinq par jour, et le téléphone qui sonne sans arrêt, et toute cette foule qui se jette sur vous, miraculeusement appâtée par le mot « argent », le mot « succès », et les jeunes imbéciles qui vous félicitent d'avoir eu le cynisme de faire une œuvre commerciale, et les gens qui vous croient insupportable sans vous connaître, et ceux qui vous croient trop dégourdi, et cette curiosité, et cette malveillance, et cette insistance. Et puis, ceux qui vous aiment bien, qui vous écrivent des lettres tendres, auxquels vous n'avez pas le temps de répondre, vis-à-vis desquels vous traînez un vague remords, et les journaux que vous ouvrez au hasard et où vous trouvez des paroles stupides que, paraît-il, vous avez prononcées, et cette colère que vous avez alors et qui retombe si vite. Et ce désarroi. Car, enfin, cette lettre ne veut dire quelque chose que si vous aimez la littérature.

Achetez ce que vous avez envie d'acheter, donnez ce que vous avez envie de donner, ne comptez ni sur les objets ni sur les gens. Il y a très peu d'objets qui restent vivants, très peu de gens assez généreux pour accepter votre succès, ou votre bonté, si vous êtes bon. Ou alors, si vous en avez le temps et le goût, soyez méchant. Ça plaît plus. Ou alors soyez indifférent, si ça vous est possible, mais c'est très difficile.

Le meilleur conseil que je puisse vous donner, c'est la distraction. Je veux dire si vous habitez Paris. En ce cas, fatiguez-vous, marchez à pied, n'habitez nulle part, dormez le moins possible. Faites-le avec excès, cela vous obligera à partir. Mais surtout n'organisez rien. Ni le dîner éditeur, ni le dîner confrère, ni le dîner mondain. Errez.

Si on vous parle de votre succès, de vos livres, répondez « oui, c'est génial » ou « j'ai eu de la chance ». De toute manière, la réponse paraîtra mauvaise.

On dira aussi que vous n'avez pas écrit votre livre vous-même, mais ce, pas devant vous. On vous demandera aussi pourquoi vous avez écrit. Répondez que vous en aviez envie. On ne vous croira pas, mais d'une certaine manière, la vérité est recommandable. Voilà.

D'autre part, le succès a de bons côtés : il rassure une certaine vanité, au début. Après, il ne rassure plus rien et surtout pas le principal. Mais là-dessus, vous ne serez, je pense, jamais rassuré. On ne sait jamais si ça ne vaut rien, ou pas. Personne ne vous le dira, que vous puissiez croire. Quand vous serez mort d'inquiétude à ce sujet, vous travaillerez. C'est une forme de réponse durant les quelques heures par jour où vous écrivez. Et puis, c'est la seule chose.

Enfin, si vous pouvez, partez à la campagne.

L'Express, 26 octobre 1956.

UN CONCERT

Ils étaient allés au concert ensemble. Le pianiste avait été admirable et, entraîné par la musique, une si romanesque, si touchante musique de Grieg, Pierre avait pris la main de Frieda et l'avait serrée dans la sienne. Elle s'y était accrochée et les violons avaient submergé la salle et il avait renversé la tête en arrière. Ah ! l'amour, le bonheur, la tristesse... mais tous ces mots ne lui étaient inspirés que par Grieg et non point par Frieda, cette grosse Frieda qui avait été si blonde pour lui. « Ce Rubens », comme il disait à ses amis, « ce Rubens » dans laquelle il pouvait enfouir ses maigres inquiétudes de Latin, ses cheveux noirs et ses os pointus. Mais Frieda n'était plus un Rubens, c'était une dame de Germanie, un peu forte et filasse. Et sa main devenait moite dans la sienne, dangereusement moite, et il n'osait plus la lâcher. Cela était affreux et pourtant cette musique montait, montait si haut, avec les enjambées souples, la hâte merveilleuse du piano tandis que les violons freinaient, rappelaient la mort, l'incertitude de l'âme. Frieda, sensible à la musique, avait fermé les yeux et il lui en voulut, la méprisa. Il retira sa main. Le déséquilibre entre la mollesse de ses sentiments et la bravoure de la musique, entre son agacement et la tendresse du piano l'attrista un instant. « Mais comment vivait ce type-là », pensa-t-il. Il imaginait un piano dans un chalet suisse, Grieg assis devant, tandis qu'une belle femme brune un peu sauvage lui caressait le front. Il ne savait pas pourquoi il imaginait le chalet, mais la femme brune, ah, si ! Frieda : cette peau de lait, cette blondeur immobile, ce tempérament chaleureux l'excédaient. Il aurait voulu cette petite jeune fille maigre devant lui, avec ce profil de loup, cet air buté, qui devait aimer sans plaisir, les dents serrées en parlant de la liberté, « comme elles sont toutes, paraît-il, dans cette génération ».

Le piano avait abandonné les violons et partait seul, audacieux et triste, et le silence de la salle était devenu bruyant. Il oublia Frieda un instant et les larmes lui vinrent aux yeux. C'étaient des larmes douces comme celles qu'il versait sur un chat mort ou un souvenir d'enfance. Jamais sur les gens. Autrement, ses rares pleurs avaient été des pleurs de rage. Il fut heureux de sentir ce picotement sous ses paupières. Quoi qu'il arrive, il lui resterait ça : la musique, oui, et puis Montaigne, le soir au coin d'un feu, sa pipe, un chien familier avec de bons yeux et la solitude. Voilà ce qu'il lui fallait. Et non pas cette blondasse et cette dispersion de lui-même.

Ses larmes n'avaient point coulé au point qu'il eût à les sécher. Il tira néanmoins son mouchoir en souhaitant confusément que Frieda le remarquât. Mais elle restait immobile, la main pendante de son côté prête à être prise. Elle ne le comprenait pas. Il lui expliquerait en sortant : « Pour moi, chaque concert est une sorte d'expérience spirituelle. » Il entendait déjà sa propre voix, une voix basse, sans heurts. Il lui dirait ensuite : « Il faut que je m'en aille. Frieda, notre expérience à nous deux est finie. » Il le lui dirait avec douceur, sans hâte. Et il s'éloignerait dans la nuit chaude du printemps et disparaîtrait à ses yeux. Mais ses valises...

Comme l'orchestre repartait, Frieda tendit la main vers lui, la paume ouverte sans le regarder. Il eut un sursaut de fureur : « Va-t-elle me laisser tranquille ? Depuis trois jours, elle me poursuit. » Il ne posa pas sa main malgré un léger mouvement de l'avant-bras. Et il renversa la tête en arrière et referma les yeux. L'orchestre et le piano naviguaient ensemble et l'on ne savait plus, après cette longue promenade solitaire du piano, si c'était l'orchestre qui venait le soutenir, vagabond blessé, ou si c'était lui qui menait l'orchestre au contraire vers sa découverte, ce paradis mélancolique et bleuté qui était au bout de la course, où ils devaient mourir ensemble.

Il rouvrit les yeux. Frieda était partie. D'abord il ne comprit pas, puis subitement se leva et sortit à sa recherche dans les couloirs de Pleyel. Dix minutes après la musique le poursuivait encore et il criait : « Frieda ? Frieda ? », en courant dans les rues. Frieda buvait une bière à *la Lorraine* avec son voisin de droite au concert.

La Parisienne, octobre 1956.

DE NOUVEAU IL SUFFIRA DE DIRE : « J'AI ÉTÉ À AUSTERLITZ » POUR QU'ON VOUS RÉPONDE : « VOILÀ UN BRAVE »

Première partie : l'Empire insolite. Tout commence fort bien. On vient d'apprendre à Bonaparte la signature du traité d'Amiens. Il se jette aussitôt sur Martine Carol, Joséphine Chérie, qui tire les rideaux. Étreinte. Réveil dans un bal de la Cour qui déshonorerait une sous-préfecture. Napoléon, l'œil bleu, se dispute avec sa famille, Joséphine flirte avec son coiffeur. On part pour Londres, Boulogne, on revient, l'ambiance est à la guerre. Bref, il ressort de tout cela que Bonaparte a une famille odieuse, que les femmes se moquent de lui, qu'il est colérique et indécis et tournerait vite à l'affreux Jojo si Talleyrand et Fouché, tels Laurel et Hardy, ne veillaient au grain.

Tout ceci dans un dialogue boulevardier insupportable d'où émergent parfois des répliques historiques apprises à l'école. Ces répliques, plus le visage d'acteurs célèbres (« Tiens, Carnot, c'est Jean Marais », soupire la foule) vous donnent une agréable impression d'être en pays connu. Les vilains Anglais, le pauvre duc d'Enghien, les sœurs abusives et Popesco en mère folklorique forment le décor. Le clou est l'apparition de Vittorio de Sica VII, en pape, qui murmure : *« Commediante, tragediante »*, avant de disparaître ahuri. Et soulagé. Nous aussi : le sacre précède l'entracte.

Deuxième partie : fusillade à Austerlitz Valley. Réveil en sursaut du spectateur. Grâce à un ingénieux procédé, le son fait le tour de la salle et revient se nicher dans votre oreille. Des cavaliers en rouge et bleu, « c'est les Français », des cavaliers en jaune et vert, « c'est les autres », caracolent sur l'écran. Les généraux ennemis se disputent, ils sont cent mille, nous quarante mille, si on ne savait pas la fin, on s'inquiéterait. Détail humain, néanmoins, au milieu d'un cours de tactique militaire : Napoléon apprend du vétéran Michel Simon qu'on l'appelle le petit tondu. Du tac au tac, il le traite de grognard et lui tire l'oreille droite, la gauche étant restée à Arcole. Ses généraux sont inquiets, mais on voit bien que si les femmes et les ministres bernent Napoléon, sur un champ de bataille, il est à son affaire. Mystérieux et avisé, voilà Napoléon. Donc, bataille, jolie bataille du reste. Le bruit des canons fait le tour de la salle à une vitesse accrue, le soleil d'Austerlitz se lève : on-a-gagné. Mais Michel Simon a perdu sa seconde oreille. Vu le bruit, on ne peut que l'envier.

Voilà *Austerlitz*. Personnellement j'ai toujours eu un faible pour Bonaparte, seul personnage de mon manuel d'histoire qui fût dépourvu de barbe, bouclettes et bedaine. Je n'aime pas le voir discutant du prix des chapeaux avec des starlettes. Si l'humanité d'un grand homme ne réside pas forcément dans son alcôve, elle réside encore moins dans ses pantoufles. Enfin la dernière réplique de Napoléon, s'adressant à ses grognards, pourrait s'appliquer, à mon avis, aux spectateurs.

Il vous suffira de dire : « J'ai été à Austerlitz » pour qu'on vous réponde : « Voilà un brave. »

L'Express, 23 juin 1960.

L'AVVENTURA : TANT PIS POUR CEUX QUI AIMENT LES BANDES DESSINÉES

Il paraît qu'un public grossier a quitté la salle de projection à Cannes, pendant qu'on jouait *L'Avventura*. Il paraît qu'on ne peut voir les films d'Antonioni que dans les petites salles spécialisées, et c'est effectivement ainsi que j'ai vu *Il Grido* et *Le Amiche*. Il paraît que son échec commercial est égal à son succès d'estime chez les amoureux du cinéma. Il paraît que *L'Avventura* va être durement discutée. Tout cela est bien pesant pour dire d'un film très beau, fait par quelqu'un qu'on admire, qu'il est par moments rudement ennuyeux. Il y a dans *L'Avventura* dix fois trois minutes de trop. C'est la seule réserve que je saurais faire à son sujet. Enlevées ces trente minutes, *L'Avventura* est exactement l'idée que je me fais d'un chef-d'œuvre.

Une femme disparaît. Suicide ? Fugue ? On ne sait pas. Son amant et sa meilleure amie partent à sa recherche, se fuient, s'aiment. Ils ne la retrouvent pas à la fin, mais nous, spectateurs, découvrons la raison de son suicide ou de sa fuite. Voilà le sujet, ou ce que j'en ai compris. Plus généralement, il semble mettre une certaine mollesse italienne, l'absence de caractère chez les hommes à femmes, une condition féminine exigeante et déçue, thème déjà sensible dans *Le Amiche* ou plus récemment dans *La Dolce Vita* (il est intéressant, d'ailleurs, que cet éternel procès du caractère mâle italien soit toujours repris par des représentants du sexe mâle italien). Le journaliste égaré de *La Dolce Vita*, l'architecte puéril de *L'Avventura* ont également de l'assurance, du charme, plaisent aux femmes, les comblent physiquement et leur laissent un grand vide moral. Par moments, ils en pleurent. De toute façon, à la fin, elles les consolent. (À ce propos, il suffirait de voir la dernière image de *L'Avventura* pour justifier tout le film : une petite place à l'aube, un homme sur un banc, dans un smoking fripé, qui pleure sur ses gâchis, et une femme qui le regarde, désespérée mais déjà prête à pardonner.)

Je prends d'ailleurs cette image au hasard, entre mille autres. Le blanc et le noir, les paysages meurtris, les visages détournés, tout ce qui est dit sans paroles, tout ce qui se passe en dessous, tout ce qu'enfin le seul Antonioni sait faire est dans ce film. Je parle de trente minutes de trop. Mais qu'en sais-je ? Ce film est fait comme une peinture, il est détaché, il est tranquille comme une chose faite. Il est lent peut-être parce que la vérité est lente à découvrir. Et s'il m'irrite de voir une voiture monter une côte pendant trente secondes sur l'écran, c'est peut-être parce qu'Antonioni a gardé le sens de la durée et que le mien, le nôtre, est perverti ? Je ne crois pas aux vieux axiomes : « Le spectateur a toujours raison », « Si vous vous ennuyez, c'est que c'est ennuyeux », etc. Je crois qu'on est tellement habitué à ce qu'on vous mâche le travail au cinéma, tellement habitué à voir un gros plan quand quelqu'un dit : « Je vous aime » et un mouchoir de batiste quand quelqu'un pleure, on est tellement habitué à être « fixé » qu'on est devenu incapable du moindre effort intellectuel dès qu'on est assis dans le noir, un esquimau à la main. La découverte de la vérité par l'héroïne de *L'Avventura* ne se fait pas d'un coup. Elle se fait comme dans la vie par mille petits regards, mille réflexions, mille concessions, qu'on voit passer sur son visage lisse, comme autant d'ombres.

Pourquoi me suis-je ennuyée au début lorsque les amis recherchent la jeune fille sur l'îlot ? Parce qu'Antonioni a dédaigné de me montrer successivement une montre indiquant six heures, puis une montre indiquant sept heures et demie, parce que probablement les trucages ne l'intéressent pas [...]. Alors que nous, nous voulons savoir « ce qui va se passer ». Il faut bien le dire, malgré les sempiternels parallèles entre le cinéma et la littérature, personne « n'ose » établir une vraie comparaison, imaginer par exemple qu'un metteur en scène puisse changer le monde, ou même qu'Antonioni comme Proust soit plus fasciné par le temps sensible que le temps tout court. Ni qu'il en ait le droit. Car on dira, avec le bon sens indigné du client : « C'est peut-être très beau, mais je me suis ennuyé, et de toute façon le cinéma ça n'est pas ça. » Or le cinéma, c'est quoi ? C'est pour quelqu'un une manière de s'exprimer, manière qui peut coûter trois cents millions à d'autres personnages (un écrivain méconnu n'en coûte qu'un ou deux à son éditeur, ce qui fait que les éditeurs parlent plus facilement de l'*art* que les producteurs). Et qu'un homme comme Antonioni, que son art préoccupe visiblement plus qu'autre chose, risque de rencontrer des difficultés. Seulement le cinéma, c'est aussi ça : un homme.

En y réfléchissant, je retire toute réticence. *L'Avventura* est un chef-d'œuvre. Je ne me sens pas le droit de lui reprocher ces trois fois dix minutes d'ennui dont je parlais au début de cet article. Rien n'est finalement inutile dans ces digressions, et rien n'est plus vrai que cette histoire bizarre. J'irai revoir *L'Avventura* pour y retrouver cette vision désolée et tendre de la vie qui est celle d'Antonioni, et qu'il a su me communiquer. On ne nous fait pas tellement souvent de cadeaux au cinéma. Tant pis pour ceux qui préfèrent les bandes dessinées.

L'Express, 15 septembre 1960.

JOHN OSBORNE
A DÛ AIMER SHAKESPEARE

On se demande une fois de plus pourquoi *Look back in Anger* (« Rappelle-toi avec colère ») donne en français *Les Corps sauvages*. C'est dommage car c'est un titre vulgaire et faussement affriolant qui pourrait ôter l'envie de voir ce film qui est excellent.

Je n'ai pas vu la pièce de John Osborne et j'ignore en quelle mesure le film suit le thème de l'auteur. Celui qui « se rappelle avec colère » est un jeune homme déchiré, violent qui ne supporte rien, ni l'inégalité, ni le temps qui passe sans rien changer, ni la tiédeur, ni les mensonges. À ce compte-là, il ne supporte, bien entendu, pas grand-chose de la vie, et en arrive à déchirer les autres. (Je dois dire que s'il n'avait pas des moments de sincérité assez bouleversants, et s'il n'était pas interprété par le merveilleux Richard Burton, il ferait facilement figure d'un dangereux enquiquineur.) Il est marié à une jeune femme qui l'aime et qu'il aime, mais qu'il tourmente sans cesse car, comme elle le dit elle-même, « elle est conventionnelle ». Étant conventionnelle, elle serre les dents, ne hurle pas et se tient bien. Ce qui fait qu'on a souvent envie de donner une paire de claques à son mari. Cette paire de claques lui est finalement donnée par Claire Bloom, une amie de sa femme, qui s'éprend de lui lorsque sa femme le quitte. Ils vivent ensemble un temps, et finalement sa femme revient. Elle a perdu l'enfant qu'elle portait de lui et dont elle n'avait même pas osé lui annoncer la venue. Ils repartent ensemble.

L'intérêt de ce film, en dehors d'une mise en scène rapide et belle, réside dans l'absence totale de conventions. Le mari est insupportable, mais on le plaint. Les deux femmes ne se détestent pas. Lorsque l'amie annonce que la femme attendait un enfant, il n'éclate pas en sanglots et ne se précipite pas au téléphone; il répond simplement qu'une vieille dame qu'il aimait est morte le jour même et que le reste lui est égal. On est tout le temps surpris, choqué et apitoyé. On comprend. On comprend cette colère d'un type intelligent qui en est réduit, étant diplômé, à vendre des sucreries, que sa belle-famille renie, qui voit un de ses amis chassé du marché parce qu'il est hindou. « Mais qu'es-tu venu faire dans cette ville pourrie ? », lui crie-t-il lorsque l'autre est interdit. « J'étais intouchable chez moi, un paria », dit l'autre. Il n'y a même pas le traditionnel coup de poing dans la figure du mauvais flic. Il y a simplement le visage ravagé d'un homme impuissant à combattre la pourriture de la terre, d'un homme en colère.

John Osborne a dû aimer Shakespeare. Les grandes scènes, les grandes fureurs de Richard Burton sont pleines de ce délire, de cette violence et de cet humour que l'on voit plus souvent au théâtre qu'au cinéma. Le film est superbement joué, avec ce talent qu'ont parfois les acteurs anglais et qui écrase gaiement les autres. Il y a aussi un merveilleux rôle de « copain », des vues superbes de Londres, des brouillards et des gémissements de trompette. Et surtout, comme fil d'Ariane, une vérité grinçante et impitoyable que les brusques tendresses du film ne cherchent pas à atténuer. C'est un très bon film.

L'Express, 13 octobre 1960.

DU HAUT DE LA TERRASSE : NE VOUS Y PENCHEZ SURTOUT PAS

Frères lointains qui m'oyez aujourd'hui, amis lecteurs, ennemis, petits-cousins de Bretagne, au nom de tout ce qui vous reste et d'esprit, et de temps, et d'argent, n'allez pas voir ce superbe navet. Je ne souhaite à personne de passer les deux heures vingt que j'ai passées au fond d'un fauteuil avec une salle délirante d'ennui et parfois d'exaspération.

Je suis ce qu'on appelle un public en or. Les objurgations les plus pressantes de mes meilleurs amis ne m'ont jamais fait quitter un film, si sot soit-il. Je veux savoir la fin. Hélas ! là, je la savais au quart du film. Et j'aurais bien voulu partir, n'eût été l'impérieux devoir professionnel qui m'entraîne, ces temps-ci, de niaiserie en niaiserie. Celle-ci est, si je peux dire, la niaiserie-étalon du cinéma américain.

Paul Newman est un beau jeune homme. Sa mère boit et son papa le méprise. Il décide de « surclasser son père », soit de faire cent mille dollars au lieu de trente, j'imagine. Il épouse Marie Saint-John, ce qui correspond chez nous à la duchesse de Guermantes, semble-t-il, sauve par miracle le petit-fils d'un banquier qui, du coup, l'engage, travaille trop, délaisse sa femme qui, ayant un bon tempérament, le trompe, rencontre une vraie jeune fille qui ne croit pas au dieu Dollar et finit par renoncer pour elle à sa brillante situation, incompatible avec le divorce. Il sera mineur et vivra dans une maison de bois dans le Maine, mais avec un vrai foyer. La vertu, l'honnêteté ont triomphé une fois de plus des bas instincts calculateurs de l'homme.

Le drame, pour Mark Robson, le responsable de ces deux heures vingt, c'est que les seuls personnages un peu spirituels et rigolos du film soient l'ami ivrogne, l'épouse infidèle et l'amant de cette dernière. L'ennui, c'est que, quand tout se passe sur des yachts, des appartements somptueux, etc., on ne s'amuse pas, certes, mais on s'étire, on se dit : « Quand même, ces Américains ont le sens du confort, ils boivent sec et sont faciles à vivre. » Hélas ! dès qu'on arrive dans la forêt avec la fille du contremaître au cœur pur, et qu'elle récite cet infernal dialogue, bourré de dévouement et de scrupules, on n'en peut plus. On se demande vraiment pourquoi ce garçon ne rentre pas au galop auprès de sa vamp de femme, dans sa jolie maison. Quant à la tentative satirique sur le patron hypocrite qui dit : « Vous êtes trompé, mais qu'importe, il n'y a pas de scandale », ça a déjà été fait, et mieux, Dieu merci. Non, il y a un mot pour ce genre de film, c'est : écœurant.

Maintenant, si vous avez un moral d'acier et des amis spirituels, emmenez-les. Vous contribuerez ainsi à distraire, par vos saillies, une salle qui ne demande qu'une chose : tirer un vague plaisir de cette ineptie en couleurs, pour laquelle elle a payé six nouveaux francs dont l'absence doit lui sembler singulièrement lourde.

L'Express, 27 octobre 1960.

PSYCHOSE : PAS UNE SECONDE DE TROP

Que voilà donc une horrible histoire... S'appuyant sur un cas, j'espère peu fréquent, de psychiatrie, Hitchcock nous lance dans un suspense des plus morbides, pour une fois manquant un peu de cet humour que j'aimais bien dans, par exemple, *La Mort aux trousses.* Ici, rien de semblable. Une jeune fille dérobe quarante mille dollars pour les donner à son amoureux fauché, et s'arrête en route dans une étrange auberge. Elle y sera assassinée ainsi que quelques autres personnes. Je ne vous dirai pas comment, c'est formellement interdit et, de toute manière, je gage que vous le devinerez vous-même. C'est sans doute le principal défaut du film, c'est qu'il repose sur un suspense que l'on évente assez rapidement. Et Dieu sait pourtant que je manque de perspicacité dans les histoires policières.

En dehors de cela et d'un début un peu longuet, c'est un film passionnant et merveilleusement bien fait, un de ces films où, une fois l'histoire engagée, il n'y a pas une seconde de trop. C'est la force de Hitchcock à mon sens : en dehors d'une technique parfaite, il a le plus grand respect pour le temps de ses spectateurs. Il leur pose un problème, s'amuse à le dénouer avec eux, ne cherche ni à les faire philosopher, ni à les attendrir.

Son but est de vous prendre à la gorge et de ne pas desserrer les doigts jusqu'au mot : Fin. Et il n'en dévie pas un instant. Il y a tout ce qu'on aime dans ce film, les clins d'œil vers la porte qui bâille, le gros plan d'un sourire qui ne devrait pas être là et qu'on a l'impression de surprendre, la lente montée dans l'escalier fatal : « Vous aimez avoir peur, eh bien, allez-y », et l'on soupire d'aise en même temps que de frayeur. Plus un côté grand-guignolesque des plus réjouissants et une fin divine ou qui plutôt l'aurait été si elle avait eu lieu sur le dernier mot de Perkins (lorsqu'on lui apporte la couverture). Là, vraiment, on éclate de rire avec Hitchcock, on a envie de le remercier d'avoir si bien fait son travail, d'y avoir si peu cru, et de nous avoir si bien fait y croire.

Le héros du film est Anthony Perkins qui est proprement merveilleux. Il est la gentillesse, la nervosité, l'angoisse dans la même seconde, il porte tout le poids du rôle sans en faire une seconde « de trop » et écrase tous ses partenaires, sauf le personnage de sa mère qui s'en tire aussi bien que lui. Bref, c'est un excellent film de Hitchcock, et j'imagine que les amateurs de technique y trouveront aussi bien leur bonheur que les amateurs de sensations fortes.

P.S. – *En dehors de* Psychose *que le plus grand succès attend, j'ai vu en projection privée un film qu'on ne veut pas laisser voir aux Parisiens, non pas la censure pour une fois, mais les directeurs de salle. Ils ont peur que ce film ne choque ou ne déconcerte leur public, souci louable certes, mais inattendu quand on pense à la moyenne des films qui passent à Paris en ce moment; il s'agit du* Couple, *un film de Jean-Pierre Mocky, qu'ont vu et aimé Cocteau, Aragon, bien d'autres et moi-même. C'est un film émouvant et tendre sur un thème que l'on n'avait pas abordé jusqu'ici, celui de l'amour physique et de son ennemi : le temps. J'espère que les scrupules des directeurs de salle disparaîtront prochainement et que je pourrai en parler plus longuement car il en vaut vraiment la peine.*

L'Express, 3 novembre 1960.

LETTRE DE SUISSE

L'agréable, dans des revues comme celle-ci, c'est qu'on a le sentiment confus qu'on ne va pas être lu, sinon bien sûr par le rédacteur en chef, Jacques Brenner, que pour ma part j'ai toujours connu bonasse. Donc, au départ, une agréable impression d'irresponsabilité, insuffisante, bien sûr, à me faire écrire deux lignes si je n'étais pas en Suisse, essayant, non sans « ahanements », de finir une pièce commencée il y a trois ans. Et nageant donc dans un mélange de sapins, de lacs, de ratures, de bière, de rajouts, une confusion mentale bien proche du sommeil, et, par opposition à ce langage suisse-allemand dont je ne comprends que l'essentiel (si *kaise :* fromage, *rœusti :* pommes de terre sautées, etc., peuvent être considérés comme l'essentiel d'une langue) et, par opposition donc, une envie de bavardage. Bavardage dont j'hésiterais bien sûr à accabler le rédacteur en chef précédemment nommé, si mon ami Bernard Frank n'en faisait autant depuis fort longtemps, sans qu'on lui tire les oreilles.

J'ai probablement eu tort d'intituler cette lettre, lettre de Suisse. Je n'ai en effet rien à dire sur la Suisse, comme sur n'importe quel pays que j'ai pu visiter. Les voyages me rendent sourde, aveugle et quasiment terrorisée. Les quelques hebdomadaires qui, comptant sur la fraîcheur d'un jeune œil, m'expédièrent à leurs frais dans des pays lointains s'en repentirent vite. Je devais, pour combler les quelques pages blanches promises, me lancer dans des anecdotes historiques que leurs abonnés dénonçaient vite comme farfelues. J'ai renoncé aux reportages, je ne sais pas voyager, je ne sais pas voir, je tournerai éternellement sans doute dans ce même vilain petit milieu que l'on me reproche et où je me sens au chaud. À cette idée, à cette nouvelle révélation d'impuissance, le cœur me fend. Cet aimable pivot parisien, où j'ai mon quartier, avec quelques ramifications vers la mer, l'été, ou la bonne Normandie, et l'hiver cette escalade de la Suisse, voilà probablement le décor de ma vie à venir. Encore quarante ans, peut-être. C'est mesquin et tout à fait réconfortant.

Pour revenir à la Suisse, je m'y plais. Je comprends Paul Morand d'y vivre, c'est le seul pays vraiment dépaysant sans désagrément. Et surtout, on s'y sent en sursis. J'entre dans un *Gasthaus*, je m'assois, épuisée, je viens de franchir la frontière de nuit, j'ai échappé aux Allemands, je suis sauvée. Ces petites fenêtres, leurs rideaux, ces chalets de film américain, ces montagnes sillonnées de guides, et la face placide du garçon qui me sert tout cela, c'est le salut. Je commande un chocolat, ma main tremble encore, j'aurai du mal à récupérer sans doute, j'allume une cigarette. Voilà ! Je ne puis être en Suisse sans imaginer l'impression de ceux qui parvinrent à s'y réfugier, il y a quinze ans... Un rêve, ce devait être comme un cauchemar folklorique.

Hemingway, dans ses nouvelles, parle de l'endroit où j'habite. J'ai relu *Paradis perdu* hier. J'ai l'impression qu'il ne connaît pas grand-chose aux femmes : elles sont ou bien folles ou enfantines et un peu geignardes. Mais je ne vais pas commencer à faire des digressions sur les livres. Ça m'ennuie. Et il y a des gens que ça passionne. De temps en temps, on a une idée légère, furtive, sur un écrivain et si par malheur personne ne vous en a parlé avant, on se croit obligée de la ressortir à chaque conversation. Je me vois très bien dans dix jours, à Paris, dans un dîner, disant, l'air rêveur : « Mais au fond, Hemingway, vous voyez un personnage de femme attirant quelque part ? » « – Mais voyons... » Et de me citer *L'Adieu aux armes* ou un autre, et moi, l'air de plus en plus vague... Affreuse vision.

Il y a Benjamin Constant aussi, au sujet de la Suisse. Enchaîné à Coppet, aux ordres de Minette et se plaignant : « Ah ! ce lac... » Il faut dire que Genève est navrant. Ici au moins, il y a des edelweiss, des biches qui sont censées traverser la route (signale-t-on aux automobilistes ravis), mais qui ne la traversent pas, hélas (ou bien elles se méfient de moi, grâce à des bobards de journalistes). Ici, enfin, on parle allemand et non pas ce français titubant de Genève. Enfin la nature est superbe et j'aime la nature. Il faudrait vivre ici ou à la campagne, toute sa vie. Quitter Paris, quitter les rues, les amis gentils, les ennemis méchants, les soirées gaies, les matins fatigués, les conversations drôles, quitter enfin cette possibilité incessante d'avoir quelque chose à faire. Ici on n'a rien à faire : cette lettre en est la preuve.

Autre point important sur la Suisse : on vous donne quatre-vingt-cinq francs suisses pour mille francs français[1]. (J'espère que cette précision n'aura pas de conséquences politiques.) Tout ceci est très compliqué pour les achats, notamment de chandails en cachemire. À ne pas commettre le renversement que j'ai fait moi-même pendant une semaine (je ne m'explique pas encore comment) et qui consiste à multiplier tout par quatre-vingt-cinq. C'est beaucoup plus subtil. Tout compte fait au reste, les chandails sont moins chers ici. Je crois qu'il serait temps d'ailleurs d'introduire un petit côté pratique dans cette revue. Je ferai *Madame Saisons*. Nous aurons plein d'abonnées. Solange Fasquelle et moi sillonnerons les magasins, nous aurons des bons magiques, Bernard Frank nous conduira en voiture et portera les paquets. Mais je rêve tout haut ; il y aurait un grand magasin en bas de chez Julliard, les membres de la revue masculine porteraient la cravate *Saisons* roux et vert, en peau. Il y aurait la mode *Saisons*, des primes aux lecteurs sérieux. Lisez Hegel, lisez l'exposé de fond qu'en a fait Untel dans la revue et vous aurez une chemise *Saisons*. La culture par la coquetterie. La vraie, pour une fois.

Je vais rentrer à Paris, ce pays me tourne la tête.

Les Cahiers des Saisons, hiver 1960.

1. Écrit en octobre 1960. *(Note de l'auteur.)*

ORSON WELLES

J'ai rencontré Orson Welles, une fois, en 1959, au festival de Cannes. Je n'habitais pas cet enfer et lui non plus ; il arrivait de Rome, moi de Gassin et nous avions sûrement l'air tous deux aussi ahuris après la projection du *Génie du mal,* film américain mis en scène par un autre et où l'on avait utilisé son incroyable présence physique pour faire passer les âneries humanistes qu'il devait dire dans un mauvais rôle d'avocat. Après la projection de l'après-midi, on se retrouva dans un appartement du Carlton où des journalistes l'assaillirent de questions plus ou moins passionnantes. Il était debout, gigantesque, et quand une question l'ennuyait trop, il tournait vers eux ses yeux jaunes, avec le regard à la fois étonné et furieux du taureau sous les banderilles de la bêtise. À la fin, il se mit à rire, de son rire tonitruant, les écarta de la main, prit un verre sur la table et regarda par la fenêtre. Il était six heures du soir et derrière la foule excitée, sur la Croisette, la Méditerranée devenait grise. Le « citizen Kane », le front contre la vitre, regardait blanchir la mer, se balancer les voiliers, le « citizen Kane » avait l'œil triste. J'ai rarement rencontré quelqu'un d'aussi séduisant.

Pour la première fois, cette semaine, on repasse tous ses films à la Cinémathèque. On ressort *La Splen-*

deur des Amberson aux Champs-Élysées. On a essayé de le faire venir mais on ne l'a pas encore trouvé ; il est quelque part dans la campagne anglaise. Depuis un certain nombre d'années que les Américains ont blackboulé leur metteur en scène le plus génial, depuis des années qu'on répète qu'il est « vidé » (l'autosuggestion allant jusqu'à faire de *La Soif du Mal*, son dernier film, un mauvais film), Orson Welles erre de par l'Europe, Kane sans journal, Arkadin sans fric, Othello sans galères. En quelques jours, j'ai vu les quatre films de lui que je ne connaissais pas et j'avoue que je n'y comprends rien. Je ne comprends pas que les Américains ne se roulent pas à ses pieds avec des contrats, ou que les producteurs français, qu'on dit si assoiffés de risques en ce moment, ne courent pas le chercher dans la campagne anglaise. Quitte à lui adjoindre deux gardes du corps s'il manifeste (ce qui lui arrive, dit-on) l'envie de quitter le plateau pour filer au Mexique ou ailleurs en cours de tournage.

L'énorme cadavre du capitaine corrompu de la police, du flic sadique, flotte entre l'eau et les détritus, sous un pont. Marlène Dietrich le regarde. L'honnête *attorney* lui demande : « Vous le regrettez ? » Elle répond : *« He was a kind of a man*[1]*. »* La générale Rodriguez regarde la photo de l'homme qu'elle a aimé et qui l'a volée et qui va la tuer bientôt : « Qu'en pensez-vous ? », *« He was a kind of a man. »* Joseph Cotten, infirme, parle de l'homme qui l'a trahi et chassé, son meilleur ami : *« He was a kind of a man. »* J'en passe.

1. « C'était quelqu'un. » *(Note de l'auteur.)*

Mais à revoir à la file tous ces films de Welles, il m'a semblé retrouver partout la même obsession : celle du tempérament. Welles aime un type d'homme, le sien sans doute : violent, cruel, intelligent, amoral, riche. Obsédé par lui-même. Force de la nature, subjuguant, terrorisant, jamais compris et ne s'en plaignant jamais. Ne s'en souciant d'ailleurs probablement pas. Le jeune et féroce Kane, l'orgueilleux Arkadin, le sombre Othello, tous monstrueux et solitaires. Il n'y a qu'un film où il ait joué le rôle de la victime : c'est *La Dame de Shanghai.* Le rôle du monstre, il l'avait laissé à Rita Hayworth : il faut dire qu'il l'aimait.

Seulement, cette superbe solitude devient lourde. Welles, pour vivre, doit tourner des rôles idiots; on lui a enlevé ses armes, sa caméra; un monde de petits hommes à lunettes et Stylomine, de comptables et de producteurs sont arrivés à renverser Gulliver qui avait autre chose à penser qu'à ces Lilliputiens. Il succombe presque sous le tas. Alors il tourne *La Soif du Mal,* son dernier film, et il y a une séquence spécialement belle, entre trente autres, où il retrouve ce qui a été un beau monstre, comme lui, Marlène. Elle lui dit qu'il est devenu gros et laid, qu'il ne ressemble plus à rien, elle lui dit que son avenir est derrière lui et il passe entre eux, pour la première fois dans ses films, quelque chose comme de la pitié. Elle rejette la fumée par le nez comme dans *L'Ange bleu* et il a son regard de taureau blessé, avant la mise à mort. Où est passé Kane, le jeune taureau noir et furieux, qui avait soulevé les arènes de l'Amérique ? Que lui a-t-on fait ? Que s'est-il fait ? Je ne suis pas assez au courant pour le dire. Je sais simplement que tous ses films empestent le talent et qu'on peut se demander qui est *vidé*.

Il y a assez d'articles sur la technique de Welles, sa démesure, sa violence, etc. N'importe qui peut, en allant voir n'importe lequel de ses films, retrouver la poésie, l'imagination, l'élégance, tout ce qui fait le vrai cinéma. Personnellement, ce sont ses obsessions qui m'intéressent. L'argent. Welles aurait dû être prodigieusement riche, il aurait vraiment aimé ça (ce n'est pas si aisé à un certain stade). Qu'on se rappelle cette scène de *Monsieur Arkadin* : le jeune homme court dans la rue, il doit trouver du foie gras, pour Monsieur Arkadin. Qu'on se rappelle les bals chez les Amberson, le pique-nique de Kane, ces Rolls, ces châteaux, ces avions, ces yachts, ces fêtes, ces centaines de laquais, de secrétaires, de filles soumises. Quel dommage ! Quel dommage que Welles n'ait pas acheté des actions Shell ou des snack-bars avec ses premiers succès, quel dommage qu'il ait divagué à travers le monde en jetant l'argent par les fenêtres. Quel dommage qu'il n'ait fait d'autres investissements que ceux de son bon plaisir... Je le dis sans ironie. Car en dehors de ses Rolls, il aurait une maison de production et nous, nous verrions un chef-d'œuvre tous les trois ans.

L'Express, 19 janvier 1961.

EN LISANT LE JOURNAL

« Tessa Mansard est passée en trois jours de quatre-vingt-treize à quatre-vingt-douze. » Cette nouvelle surprendra moins de lecteurs qu'on ne le croit. Tessa Mansard est en effet la nouvelle comparse de la famille Jones dans *Juliette de mon cœur,* bande dessinée de *France-Soir.* La famille Jones a un succès international : on la lit aussi bien en Angleterre qu'en France, et surtout aux États-Unis, d'où elle vient. Depuis huit jours, elle s'occupe de Tessa Mansard, grosse sympathique, qui mange comme dix parce qu'elle a peur des hommes. Tous les jours, dans la rue, le métro, l'autobus, les Français se penchent sur la diminution de poids de Tessa Mansard. Eh oui... D'ici quinze jours ou plus, elle sera une jolie femme et convolera avec son soupirant que l'on connaît déjà.

Cette prodigieuse ânerie est moins sans conséquence qu'on ne l'imagine. Il y a des années que la famille Jones règne (même deux minutes par jour) sur le cœur de nos concitoyens. Elle est composée de Papa Jones, bienveillant vieillard un peu distrait, sa fille Juliette, maire de sa petite ville, brune réservée et raisonnable, et la seconde fille Ève, blonde, tête brûlée mais bon cœur. À eux trois, ils s'attaquent aux grands problèmes de l'Américain moyen. Avec leur grand cœur, leur petite tête et leur conformisme à tous crins, ils résolvent les situations les plus freudiennes. Qu'on me laisse résumer les quelques démonstrations les plus récentes des Jones.

L'étranger. Il est arrivé dans leur petite ville un jeune comte français, qui ne sait visiblement rien faire, sauf conduire des voitures de course. Ève s'en éprend. Une riche veuve aussi, qui guigne son titre. Après diverses péripéties que je passe, il épouse la riche veuve. Moralité sous-jacente : se méfier des étrangers. Un homme qui ne travaille pas est immariable par une jeune fille Jones.

La femme au travail. Papa Jones, engagé dans une firme de conserves, essaie de réconcilier le patron et sa secrétaire. Coup de théâtre : ils étaient déjà mariés mais conservaient dans leur vie privée leurs disputes de bureau. Moralité : en rentrant chez soi, enlever sa blouse de travail et ouvrir la télévision.

L'artiste. Un sympathique sculpteur arrive dans la petite ville, etc. Les Jones lui prêtent leur garage généreusement pour qu'il fasse une belle statue pour la place publique. Cet artiste inconséquent courtise successivement les deux sœurs et, comme l'avait prédit le *policeman*, ami de la famille, finit par faucher la tirelire de Papa Jones. Malgré tout son talent, il est alors rossé par le *policeman*. Moralité : méfiez-vous des artistes.

La ligne. Nous y sommes en ce moment. Tessa Mansard a sa chambre tapissée de photos de Clark Gable et Gary Cooper mais, par peur des hommes, mange comme quatre et ainsi échappe à leur désir. La jeune Jones va la remettre dans le droit chemin grâce à un combiné de régime psychiatrique et de régime alimentaire. Moralité (à venir, mais prévisible) : femmes, n'essayez pas d'échapper à votre féminité et ne mangez pas trop d'*icecream*.

C'est ainsi que les petits problèmes courants de la vie américaine sont résolus tous les jours par ce trio uni, symbole de la vie familiale, de l'ordre établi et du *happy end. Happy end* si l'on veut, car les sœurs Jones restent célibataires, obstinément, malgré les passions qu'elles inspirent. Il est vrai que quitter Papa Jones, excellent cuisinier, et assurer ainsi la ruine de leurs auteurs... On hésiterait à moins. De plus, elles n'ont pas, sur la question, l'entrain merveilleux d'Angélique (feuilleton). Voilà bientôt quinze ans que cette dernière cherche son mari à travers l'Europe et l'Orient, tout en subissant gaiement les galanteries des truands, des seigneurs et presque de Louis XIV. Elle a été lapidée, fustigée, emprisonnée, s'est fait faire quatre enfants, a subi une fausse couche et a été récemment violée par un régiment entier, ce qui l'a un peu refroidie. De plus, elle croise de temps en temps son mari sans le reconnaître, ce qui agace le lecteur, plus perspicace. Mais enfin, Angélique a une vie plus distrayante que les sœurs Jones. Et la comparaison est tout à son honneur. Elle représente l'aventure et l'aventure bien racontée. Les Jones, le train-train quotidien. Alors, comment expliquer le succès mondial de ces derniers ? « C'est tellement idiot que ça me fait rire », telle est la réponse que l'on m'a généralement faite, l'œil attendri.

Moi, je trouve ça inquiétant. Inquiétante cette tendresse pour la débilité mentale, qu'elle soit cantonnée dans les bandes dessinées ou les réclames pour les dentifrices. Inquiétante, bien plus inquiétante que la passion pour Superman ou Dillinger, en qui cherchent à s'identifier tant de petits garçons ou de grandes personnes. Car ils ont beaucoup moins de chances d'y parvenir que les tranquilles lecteurs de *Juliette de mon cœur.* Le conformisme n'est pas inaccessible du tout.

P.S. – *Contrairement aux apparences, je ne suis pas une fidèle lectrice de* Juliette de mon cœur. *Ce sont les commentaires de quelques-uns de ses admirateurs qui ont attiré mon attention sur elle.*

L'Express, 9 février 1961.

DRÔLE DE MANIE

Je viens de lire, afin d'y ajouter mon grain de sel, le dernier numéro de *La Nef*, consacré à *La Femme et l'Amour*, enquête menée par des spécialistes, des écrivains, des médecins, etc. Et me voilà consternée. Non par ma lecture, mais par mon incapacité à y ajouter quoi que ce soit. De même que j'aurais été incapable d'ajouter quoi que ce soit aux douzaines d'enquêtes dont sont truffés les revues et les journaux actuels sur « la jeunesse d'aujourd'hui », « les jeunes filles 1960 », « le couple français », « la nouvelle vague », « le nouveau roman », etc. Exactement le goût des généralisations, cette passion pour les tiroirs et cet œil cupidement fixé sur soi-même que semble aimer la France en ce moment – cet horrible mélange de statistiques et de petites opinions personnelles –, m'assomme.

Que l'on demande à Cary Grant ou Jayne Mansfield, dans *France-Dimanche*, ce qu'ils pensent de l'amour, je le conçois. Ça amuse le public. Mais qu'on le demande à Vailland ou à Poirot-Delpech, je ne comprends plus. Comme si les pauvres écrivains excédés pouvaient savoir autre chose que ce qu'ils inventent, avoir d'autres connaissances que leur création. J'imagine à quoi – ou plutôt je n'imagine pas – peut penser un auteur lorsqu'on lui dit : « Alors, la Française et l'amour… hein ? À quoi ça vous fait penser ? » Évoque-t-il, les yeux dans le vague, le dernier être qui l'a fait souffrir ? Ou bien se réfère-t-il à une vieille discussion nocturne avec des copains ? Ou bien a-t-il une idée précise, et qu'il brûle d'exprimer, sur les femmes d'aujourd'hui ? Cela me paraît douteux. De toute façon, le résultat n'est pas gai à lire. Il y a des gens qui ne font que ça, des enquêtes, des statistiques, et qui sont mieux qualifiés pour répondre. (Deux ou trois dans *La Nef*, d'ailleurs, je le signale.) Mais ces efforts vers une sociologie primaire ou une opinion dite originale que l'on demande à de bons écrivains, c'est désespérant.

C'est désespérant, mais partout : le goût du « même panier ». C'est ainsi qu'on en a adjugé un à des metteurs en scène aussi différents que Chabrol, Truffaut ou Kast, avec l'étiquette « nouvelle vague ». C'est ainsi qu'on a collé dans le panier « nouveau roman » des écrivains aussi opposés que Robbe-Grillet ou Sarraute. C'est ainsi que moi-même j'ai lu un jour, dans *Marie Claire*, je crois, un article réconfortant : « Rassurez-vous, mamans, vos filles ne ressemblent pas toutes à Françoise Sagan. » C'est ainsi que, dans quelques mois, on demandera à Mauriac ce qu'il pense de la neurasthénie des vedettes américaines, si ce n'est pas déjà fait. C'est ainsi que la vulgarité baptisée vulgarisation nous submerge, et que l'on confond les idées générales avec la généralisation.

De toute manière, il semble que cela plaise. Il est bien connu que les revues littéraires perdent de l'argent ; si elles en gagnent ainsi, tant mieux pour les gérants. Mais d'où cela vient-il ? Il apparaît que les gens, ne croyant plus à grand-chose, soit Dieu, soit l'homme, se soient réfugiés dans une espèce de marxisme au petit pied, confondant l'existence avec une suite de phénomènes – évolution de la femme, de la littérature, etc. –, qui rassure leur logique à défaut de leur sens critique. Il apparaît que si Flaubert écrivait aujourd'hui, on titrerait partout (en admettant qu'il ait du succès) : « Madame Bovary est-elle la Française 1961 ? » Il pourrait toujours protester : « Madame Bovary, c'est moi », le pauvre. On lui démontrerait qu'il a touché du doigt la plaie de l'époque, qu'il n'est pas un écrivain, mais un porte-parole; comme un grand malade complaisant, l'opinion parlerait de son nouveau microbe : le bovarysme.

On a assez ricané, en France, sur le *Reader's Digest*, *Constellation*, etc. On y va tout droit. Personnellement, je le regrette. Car cela prouve, dans le public, en plus d'une sorte de narcissisme, et d'une réelle absence de temps pour analyser soi-même ses problèmes, cela prouve une complète désaffection pour ce vieil animal angoissé et solitaire : l'individu. Mais il n'y a plus d'individu, maintenant. Pour en être un, à présent, ou plutôt pour en représenter un, il faut voir sa vie privée disséquée dans des torchons; si l'on sait avec qui vous couchez, si vous gagnez beaucoup d'argent, si vous faites des idioties spectaculaires[1], alors on saura votre nom et au lieu d'être dans la vague, vous en serez la crête : J. Dupont, représentant de tel panier. Ce n'est pas enthousiasmant. Simplement, au lieu de vous

1. Je m'empresse d'ajouter, pour éviter ce soin à d'autres, que je dois savoir de quoi je parle, et que j'ai bonne mine de m'en plaindre, et patati et patata. *(Note de l'auteur.)*

voir adjuger des petits-cousins que vous ne connaissez pas, vous serez transformés en de petits monstres que vous ne reconnaissez pas non plus. Le respect de l'individu est au diable et peut bien y rester. Tant qu'à faire, mieux vaut rester au milieu du tiroir, cinéaste au milieu de la « nouvelle vague », ou jeune homme au milieu de la « jeunesse d'aujourd'hui ». Au milieu, bien au chaud, tandis que de malheureux écrivains grelottants d'ennui essaient de vous définir en cinq pages.

L'Express, 23 février 1961.

J'ÉCRIS DANS LA NEIGE

Voilà, c'était fini. C'en était assez du temps perdu, des journées faussement agitées, des belles nuits blanches de Paris. L'hiver passait, il ne se passait rien, il fallait que quelque chose se passe. Quelque chose d'écrit. Un livre qui cesse d'être ce paradis perdu, des héros qui cessent d'être mythiques. Bien sûr, on y pensait. À l'aube surtout, quand les premiers roulements de voiture suspendaient le sommeil et que l'esprit excité par la fatigue développait scène sur scène dans un reflux tari au réveil, immanquablement. Ou quand quelqu'un disait : « Que faites-vous en ce moment ? » et que retombait sur nos épaules le doux poids de ce projet. On prenait des notes, on ne faisait rien, on savait bien que rien ne mûrissait (image d'Épinal). Que rien ne mûrirait avant le premier colletage avec le papier blanc. Alors, grande décision. Le départ. Un chalet isolé dans la neige. On emmène un cabinet de guerre, de bons amis résolus aussi au travail, écœurés du téléphone. Pendant le voyage, on crée une organisation à la *Elle*, efficace et simple. On jubile : à Paris, on ne se voyait pas assez, on va pouvoir se reconnaître, parler sobrement de ses travaux, voire jouer au petit bloc de granit face aux fatigants sportifs des stations. On prévoit tout : lever à dix heures (bien suffisant, ne romançons pas), soleil, ski, l'après-midi, et à cinq heures, quittant l'uniforme, l'anorak, les moufles, on se singularise, on reprend la vieille plume d'oie, le chandail usé et favori, les tics, les maniaqueries délicieuses ; dans ce chalet suisse, moderne, confortable, on introduit le côté fou, plus impalpable que la « poudreuse » que chaque écrivain promène avec lui. Naturellement, pas d'alcool, d'aucune sorte. Le whisky et Montesquieu sont bannis, à nous les breuvages douceâtres du jus de pomme et de Hadley Chase. Les déjeuners ne sont plus des occasions de rendez-vous mais des sources de calories. Voici les visages qui deviennent dorés, les mollets qui deviennent de bois et les idées d'innombrables feuillets. Au soir, nous tombons, le corps épuisé, la conscience comblée, sur nos édredons.

Tout cela était la fable de Florian. Un singe ayant volé une lanterne magique prépara une grande projection pour ses amis. Les rouleaux étaient prêts, les amis enchantés, hélas ! il avait oublié la lumière. Comme lui nous avions oublié notre lumineuse liberté, notre lumineuse paresse. Hélas !... Le temps ne se coinçait plus en angle aigu entre deux aiguilles, selon nos plans, le temps, comme la neige, nous retombait dessus, étouffant, indiscernable. Quelle heure était-il, que faisions-nous ? Le sommeil nous lâchait trop tard, les romans policiers débordaient nos après-midi et à six heures les passionnants journaux arrivaient de Paris au village. Parfois, d'un lourd effort, l'un de nous s'enfermait dans sa chambre. La neige était belle par la fenêtre et l'écureuil suisse, familier. Le papier semblait d'un blanc sale comparé au paysage, et les signes que nous y alignions rappelaient les silhouettes noires et confuses des skieurs sur la colline en face. Les circonstances étaient pour nous comme dans certains voyages de noces : ciel pur, mer bleue, hôtel discret, mais la jeune mariée – notre littérature – insatisfaite, bernée. Nous titubions sous le bien-être, la vacuité du temps, les vapeurs du chauffage central, les facéties du chien. Nous n'étions plus bons à rien, sinon aux cartes.

Ce n'est pas la première fois que l'organisation nous frappait, nous trompait, dans toute son horreur. Nous aurions dû le savoir. Nos nerfs ne supportaient plus qu'on les lâche. Ils devaient rester à fleur de peau, esclaves aimant les coups. Le temps, nous devions l'arracher à la ville, à nos bêtises, le dérober à nos horaires inutiles pour en faire ce fruit précieux, juteux et acide, à la place de cette énorme mangue fade des mers du Sud qu'il était devenu. Loin des retraites propices aux rêveries. Ce n'était plus Flaubert que nous enviions, mais Balzac, ses nuits blanches et ses cafés. Il n'y a plus de vie tranquille, plus de programme intelligent, la neige est un cocon mortel. On demandait à Valéry ce qu'il souhaitait le plus au monde, il répondit : « Me réveiller. » Quand nous réveillerons-nous de nos insomnies ?

L'Express, 9 mars 1961.

Table

Le Livre de Poche s'engage pour l'environnement en réduisant l'empreinte carbone de ses livres. Celle de cet exemplaire est de :
550 g éq. CO_2
Rendez-vous sur www.livredepoche-durable.fr

Composition réalisée par Belle Page

Achevé d'imprimer en juin 2015, en France par
CPI Bussière à Saint-Amand-Montrond (Cher)
N° d'imprimeur : 2017005.
Dépôt légal 1re publication : septembre 2009.
Édition 05 – juin 2015
LIBRAIRIE GÉNÉRALE FRANÇAISE
31, rue de Fleurus – 75278 Paris Cedex 06